Adlerian Psychology that Boosts Self-Confidence for Public Speaking

How to Overcome Shyness

アルテ

はじめに

「人前で話すのが苦手」
「授業や会議で当てられるとドキドキする」
「毎月の朝礼がイヤでイヤで仕方がない」

こういった悩みを抱え、自分だけがどうしてこんなに悩むのだろうと一人苦しんでいる方々が世の中には実は意外に多くいます。

そんな人は見たことがないと言うかもしれませんが、それはもしかしたら表層の部分だけしか見えていないのかもしれません。なぜなら、人前で話すのが苦手な人はそういったカッコ悪い自分がバレてしまうのを恐れて必死に隠そうとするからです。だから、世の中には人前で話すのが苦手な方は意外に見えないところで結構埋もれています。

私はそういった人前で話すのが苦手な方のカウンセリングやセミナーを行っているのですが、いろいろな立場の方がご相談に来られます。

多いのが一般的なサラリーマンの方でしょうか。中には管理職の方や社長さんまでいらっしゃいます。あるいはママさんであったり、学生の方だったり。あるいは六〇才ぐらいの方だったり。年齢も性別も関係なく、本当に様々な方がご相談に来られます。

悩みの程度も人それぞれですが、中には悲壮感を漂わせて顔がガチガチとこわばった表情で来られる方もしばしばいます。セミナーに来られる方の中には、本当はそういった場に参加することが大の苦手なのに、一大決心をして参加することを決めたものの、近くまで来たらやっぱり怖くなって帰ろうと思ってウロウロしたり、ドアの前まで来て何度帰ろうと思ったかなどと仰られる方もいます。

そうして人前で話すことへの恐怖を述べられて、もう昇進を断ろうかと思っている、一ヶ月後の発表を止めようか悩んでいる、ＰＴＡに行きたくない、等々、様々なことを悩ましい表情で仰られます。

私には痛いほどその気持ちが分かります。なぜかと言えば、私は彼ら彼女らだったのです。かつては私がそこにいたのです。人前で話すのが苦手すぎて、全く同じような辛さを何年も何一〇年も味わってきました。そして、その悩みにとらわれ続けて生活の質はもちろん人生の質にまでいかに大きく影響していたかを痛感しています。

かつての私と同じような苦しみを感じているに違いないその悩みの大きさは、ドアを開けて初めて会った彼ら彼女らの表情を見るだけで即座に理解することもあります。目を合わせてもサッとそらしたり、伏し目がちでオドオド、あるいはピリピリした空気感を醸し出している人もいます。

人生では人前で話す機会がたくさんあります。趣味の集まり、飲み会の挨拶、自己紹介、サークル活動、学校、入社式、会社、ママ友との交わり、ＰＴＡ、同級会、葬式、町の会合、結婚式、等々。それらは、小さい頃から始まり、学校に入り、社会に出て、年をとってもなお、ふとした時に人前で話す機会は必ずや訪れるでしょう。

それが本当に嫌だったら人里離れた山奥や森にでも住むしかないのかもしれません。けれど、現実問題そんなことは土台無理でしょう。人が人として生きる以上、人との関わりは避けられないからです。それは、人前で話すことを徹底的に逃げてきた私自身が痛いほど分かったことです。この世界に逃げ場所はないのだと。

だから、逃げ場を求めながらも逃げ場のない彼らは何とかしようともがきます。人前で話す時にあがらないようにと様々な試みをし、様々な努力をします。けれど、残念ながらほとんどの場合その試みはうまくいきません。もちろん悩みの程度が軽い方は比較的うまくやれる可能性が高いですし、あるいはそういった努力や工夫がうまくいくこともあるでしょう。

ただし、表面的な意味で。表面的というのは、傍から見たらスラスラとうまく話せているようでいて、その実、内面は極度の緊張と不安に襲われて苦しんでいるのです。しかも、人前で話す本番の前は、きっと涙ぐましいまでの努力と準備をされているに違いありません。一週間も前から、時に一ヶ月も前から、それこそ一言一句原稿を用意したり、練習を何度もしたりして。そうした涙ぐましい努力を経てようやく本番でもなんとか表面的な成功を収めます。

そして彼ら彼女らは深く認識するに違いありません。人前で話す場面であがって失敗しないためには、それほどの努力が必要なのであり、それほどの恐怖と戦わなければならないものなのだと。そして、再び同じような機会が来たら、全く同じような程度の準備と努力をして、その間は不安と恐怖に苛まれながら必死に耐え続けます。

こんなことがいったいいつまで続けられるのでしょうか。続けられるならまだしも、やはりいつかは失敗するでしょう。人前で話している時に手や声が震えてしまったり、どもってしまったり、言葉がつっかえてしまったり、あるいは真っ白になってしまったり。その時の絶望感といったら、いったいどれほどのものでしょう。

そうして、人前で話すことに益々恐怖を感じるようになっていき、そういった場を逃げたり、あるいはそういった機会が来ないように、まるで隅っこでコソコソするかのように息を潜めて生きてしまうようになってしまうかもしれません。

そういった人のことをアドラー心理学の祖、アルフレッド・アドラーは次のように言いました。

彼らはあたかも敵国の中にいるかのように振る舞う、と。敵国と言うと何か過激な印象を持たれるかもしれませんが、その言葉に納得される当時者の方は意外に多くいます。人前で話す時は、敵とは言い過ぎかもしれませんが、他者が自分を否定しているんじゃないか、みんなにバカにされるんじゃないか、軽蔑されるんじゃないかと過剰なまでに恐れるからです。そうすると、益々人々の表情や動きの中にそういった証拠探しをしていき、やがて証拠を見つけて、益々怖くなっていくようになります。

アドラーは、そういった人々に必要なことは勇気と共同体感覚、すなわち人との繋がりだと言いました。

私自身の体験でも痛感します。約二〇年ぐらい悩み続け、対人恐怖症だった自分が今やカウンセラーとなって人の話を聞く対人援助職となり、最も人生で恐れた人前で話すことを仕事としている事実に、まさに勇気と共同体感覚という言葉の持つ重みを深く感じるのです。

　私は人との繋がりによって救われました。そしてそれが前に進む勇気となりました。勇気が増すと、更に人との関わりに踏み出せるようになりました。

　うまくいかない時は、悪循環の車輪が後ろに回り続けます。それを止めるのはなかなか至難の業かもしれません。しかし、その車輪が何らかのきっかけで止まり、ギシギシときしむ音を立てながらゆっくりと前に進み始めた時、始まります。好循環が。


　世の中には人前で話すためのテクニック本があふれています。うまく話すための話し方のテクニック、話のまとめ方や理論。そして、あがらないで話すための呼吸法、姿勢、声の出し方、緊張と不安を抑えるための方法、等々。しかし、この本はそういった本とは一線を画したいと思っています。私はこの本では、人前であがらないで話すための話し方のテクニックなり技法は書きません。そういったテクニック本を読んでうまくいく方ももちろんいらっしゃるでしょう。けれど、そういった方は比較的悩みの程度が軽めのように思います。この本を読んで頂きたいのは、そういった本を読んだり、そういった講座や練習の場に出てもなかなかうまくいかなかった方です。

　私は自分自身の体験や、これまで私が出会った人前で話すのが苦手な人達との関わりを通して、あがり症克服の核心は、あがらないためのテクニックよりあがることに対するあり方と他者との関わり方を変えていくことにこそあると思っています。

あがらないようにするためのテクニックや技法には一切触れずに、あがることへのあり方と他者との関わり方を変えていくことで、あがり症を治さずしてあがり症を治す。これが私の方針です。

不思議なことにあがり症は治そうとすると治らず、治すことを手放したとき治り始めます。

ちなみに、では私自身はどうなのかと言うと、かつては極度のあがり症だった自分が、今では人前で講演したり講師をやったりしていますが、あがらないかと言えば、あがることは正直あります。前ほどひどくはありませんが、人の視線に圧倒されてすごくドキドキしたり、あるいは逆に全く緊張しないこともあります。たとえあがってしまったとしても特に問題ありません。

あがらないための話し方の本を書いている人があがるのは変じゃないと思うかもしれませんが、全く問題ありません。私はそこに対する価値付けを下げたのです。

かつての私はあがったかどうか、人前で声が震えたかどうか、あがっていることがバレたかどうか、そこに評価軸を置きました。その良し悪しが自分の結果の良し悪しでした。

私は周りのためとか、相手に伝わったかどうかとか、他者のことを何にも考えず完全なる自己中心的な世界に生きていました。人にどう思われたか、ただそれだけが全ての。

私はそんな自分にホトホトうんざりしました。自分のことばかり考えてかえって自分のためになっていない。けれど自分のことばかり考えることから抜けられない。私は完全に生き方を誤っていました。人生を見失っていました。

この本では、人前で話すのが苦手で悩んでいるあがり症の方々が、かつての私と同じように「あがる↕あがらない」の評価軸で生きている限りは、私と同じ事を繰り返す可能性が高いということを強く伝えたいと思っています。

そしてその考え方のバックボーンとして、アドラー心理学の知恵と私自身の当事者からの克服体験、そしてこれまで会ってきた人前で話すのが苦手な人達との数多くの関わりをもとにお伝えしていきます。

あがり症に悩む渦中にあると、もう治らないんじゃないか、もう自分はダメなんじゃないかと思いがちです。確かに相当に大変な状況に置かれている方もいることでしょう。けれど、私はどうしても言いたいのです。そして信じています。

人は今よりきっと、より良く生きられます。より良く生きられるはずです。必ず。

あなたもその一人です。

目次

第四章　人前で落ち着いて話せる自分になる

第五章　人前を恐れるあがり症の克服像

第一章　人前で話すのが苦手な人の特徴

私が出会った人たち

では、人前で話すのが苦手な方はいったいどんな状況に置かれ、どんな風に過ごしているのでしょうか。

具体的に見ていきましょう。ちなみに以下の事例は実際のケースを一部改変して、よくある相談例として挙げさせて頂きます。この本の中で載せる他の事例も同様です。

某住宅メーカーに勤めるA男さん。三〇代男性。学生時代から成績が優秀で、いわゆるいい大学を出ていい会社に就職した。入社当初はやる気があって頑張っていたため、やがて認められて現場の責任者として配属されることに。

現場ではいわゆる職人さんたちに工事の状況や詳細を説明しなければならない。年齢が自分とは親子ほどの差もあるような人もいる。そういった方々を前に話していると、次第に緊張してきて口の中が渇いてしまい、どもってしまった。それが恥ずかしくて顔が真っ赤になってしまった。そこにいた人たちに馬鹿にされたような気がして、次第に会社に行くのが恐怖になってきた。今後どうしたらいいのか分からなくなってネットで検索して相談に来た。

大学病院に勤める看護師B子さん。二〇代女性。看護学校を卒業して小さい頃から憧れていた看護師になった。初めの頃は本当に必死で、なんとか仕事に付いていこうとして無我夢中で働いた。昔から恥ずかしがり屋で人前で話すのが苦手だったが、学校時代はなるべく目立たないようにして息を潜め、そういった人前で話す場があったとしてもかろうじてしのいできた。

それが最近、朝のミーティングの報告事項として自分が言わなければならないことができてしまった。時間にして数一〇秒ほどのことだが、ミーティングの最後の方で話すこともあって時間が近づくにつれ緊張感も高まるため、他の人が話している内容が頭に入ってこない。聞き洩らしてしまって後で大きなミスをしてしまったこともある。更に、自分が話す番が間近になると、それこそ心臓の音が聞こえるのではないかというぐらいにドキドキしてしまって、声が上ずってボソボソと途切れ途切れに話してしまう。するとみんなが聞き耳をそばだてて近寄ってくる。それがまた恥ずかしくて益々声が消え入りそうになる。上司に何度も叱られるがなかなか治らない。

最近、悩んだ末に心療内科に行って薬を飲むようになった。それで何とかしのいでいるものの、今付き合っている人と結婚して子どもを産みたいので、いずれ薬は止めたい。けど止めたらまた前と同じように緊張してしまうのではないかと思うと止めるに止められない。どうしたら良いか分からない。

四〇代の主婦、C子さん。高校卒業後、事務処理の仕事に付いたが、合わなくてすぐに辞めた。親元で衣食住に困ることはないので、あまり焦ることなく派遣やパート等の緩めの仕事の転職を繰り返していた。

三〇代半ばで出会った男性と結婚してすぐに子供が産まれた。専業主婦として子育てに悩みながらも楽しくやっていたが、やがて子供が幼稚園に上がる頃から雲行きが怪しくなってきて、ママ友との付き合いに苦手意識を持つようになった。そして子供が小学校に上がってからくじ引きで運の悪いことにＰＴＡの役職を務めることとなった。そういうことは苦手なのでずっと避け続けてきたのだが、今回ばかりはそうはいかないようだ。とてもじゃないが自分が人前で話せるなんて想像も付かない。今回こういったあがり症の講座に来るのは怖かったが、必死の思いで参加した。

こういった悩みを持って様々な方がご相談に来られます。置かれた状況や性別、仕事などは様々です。ただ、一貫して共通しているのは、「人前で話すのが苦手」、あるいは「人と話すのが苦手」ということです。苦手と言うとやんわりとしてますが、恐怖と言い換えてもいいかもしれません。あまりの恐怖感にたじろぎ、それをなんとかしようと様々な試みをしたり、あるいはしなかったり、人それぞれですが、一言で言えば悩みが深ければ深いほど、なかなかうまくいきません。悩み深き人ほど、そこに執着してしまうからです。

こういった人前で話すのが苦手な方々は、程度の差こそあれ、いわゆるあがり症と言っていいでしょう。では、あがり症とはそもそもいったいどのようなものなのか、次に解説していきます。

あがり症とは

人前で話していると手や声がブルブル震えてどもったり顔が赤くなったり。学校や会社などで、文章を読み上げていると段々声が震えていって言葉がつっかえたり。そんな人を周りで見たことはないでしょうか。大概クラスに一人か二人ぐらいいるものです。

あれがあがり症です。かく言う私もそうでした。私の場合は高校の国語の授業で当てられ、教科書を読んでいる時に急に緊張して声が震えてしまったのが始まりでした。読み続けていると次第に息が吸えなくなり、声も途絶え途絶え読み、ざわつく同級生たちの視線を浴び、恥ずかしさのあまりに身の置き所がなくなった記憶があります。私の場合、お恥ずかしい限りですが自意識が高く、勉強もできて、スポーツもできてみたいな欠点などあってはならないぐらいに思っていましたので、人前で醜態をさらしたこの出来事は大きな挫折となりました。いわゆるトラウマ体験です。

あがり症の方は多かれ少なかれ大体似たようなエピソードを持っています。音楽の授業で笛を吹いている時、会社のスピーチで、朝礼で、あるいはプレゼンで。そして学校や会社等で極度の緊張や苦しみを持ちながらも必死に適応しようとすることで疲弊し、やがて行き詰まります。ある人は精神科に行ったり、会社に行けなくなったり。またある人はひきこもったり、またある人は異動や昇進を機に逃げるか否かの究極的選択に悩む人もいます。

こんな人が世の片隅に結構いるのです。日本では正式な調査はないようですが、生涯有病率5～10％などとも言われたり、アメリカの調査では3～13％ぐらいの人が生涯であがり症にかかると言われてます。シンプルに言い切れば一〇数人に一人。私の肌感覚で言うところのクラスに二、三人と大分近いかなと思います。

ちなみに、あがり症とは一般的な俗称であり、医学的な診断名ではありません。実際に精神科等に行って診断された場合、社会（交）不安障害、社交不安症、ＳＡＤなどと呼ばれます。日本で古くから呼ばれていた診断名では対人恐怖症がそれにほぼ該当します。アメリカ精神医学会による国際的な診断基準ＤＳＭ‐５によると、「他者の注視を浴びる可能性のある一つ以上の社交場面に対する著しい恐怖、不安……」を言います。

あがり症の方は一見気弱な人に見えます。一見内気な人に見えます。しかし、内気な人とあがり症の人には大きな違いがあるように思います。あがり症の方は、一見ビクビク怯えている内気な人のように見えますが、その裏には強情さや負けず嫌い、そしてプライドの高さを持っています。その思いが強いからこそ、自分の症状が受け入れられず苦しむのです。

逆に言えば、この強さがなければそれほど悩むことはないわけです。しかし一方、あがり症の方が克服の道をたどる時、この強さこそが克服の原動力なり推進力となります。

つまりこの諸刃の剣をどう活かしていくかが大事な要素となってきます。実際、あがり症の克服者は突き動かされるように前向きに活動していく人が多いです。生きる欲望の強さが元々強く、そのエネルギーがあがり症の症状に向いていたのをより良い人生の方向に向けるわけですから当然と言えば当然です。

私の知っている克服者は実際、非常に活動的です。セミナー講師、大学講師、英会話教室、マラソン、会社経営、起業支援、資格取得、等々、思い思いの自分のやりたいことに挑戦していきます。それぞれの本当に自分が望んでいる方向に向かって自己実現していきます。

そう考えるのならば、あがり症の症状は決して意味のないものではないのかもしれません。症状の強さは生きる欲望への抗体反応です。生きる欲望のエネルギーが強ければ強いほど、抗体反応として発熱する熱量も高くなるのです。つまり、症状の重い人ほど克服時には爆発的エネルギーで邁進するのかもしれません。

人前で話すのが苦手な人達の生態

では、あがり症の方々は一体どこにいるのでしょうか。世にたくさんいるのは間違いないのですが、そんな頻繁には見かけないでしょう。それは実は当然のことなのです。うつ病の方は外見からして猫背で、動きがどんよりしてて表情が険しくてといった感じで分かりやすいのですが、あがり症の方は見た目では分からないという人がとても多いのです。なぜなら彼ら彼女らにとって、自分があがり症であるということが人にバレるかどうかというのは死活的に重要なことなので、必死にあがってないフリをするからです。

緊張してても平気なフリ、頭が真っ白になっても動揺を隠そうとする、手が震えたら必死の思いで抑える。要は、自分の弱みは断じて人に知られてはならないのです。私もまた一番苦しかった時期はそれこそ命がけで隠しました。バレるかバレないかが人生の全てで、もしバレたら人生の終わりとまで本気で思っていました。

なぜ、そこまでして「フリ」をしなければならないのかと言えば、あがり症の方は自らの価値が下がることを白日の下に晒されることを最も恐れているからです。そのため常に警戒しています。集団の中にいるときは、自らの価値を損なわせるような人がいないか常にアンテナを張ります。気が休まる暇がありません。

アドラーは言いました。

「成人してから社会生活を避けようとする人の間に、人前で話すことができず、場おくれしてしまう人がある。聴衆は敵と考えるからである。このような人は、一見したところ敵対的で自分より優れている聴衆を前にすると、劣等感を感じる」（『個人心理学講義』p31）

あがり症の方々は、あたかも戦場の中で敵に囲まれているかのようです。誰が敵で誰が自分を攻撃しようとしているのか、他者の一挙手一投足にあらん限りの神経を集中させるのです。

私自身、症状が最もひどかったときがそうでした。他者の顔色を伺い、私が嫌われている、あるいは軽蔑されている証拠を徹底的に探しまくりました。微かな表情の変化も見逃しません。他者のあらゆる言動、あらゆる表情を自分へのマイナスの評価として関連づけます。そんなことしてたら、本当かどうかはさておき証拠らしきものが見つかるものです。そしてその怪しげな証拠を見つけて、絶望感に襲われます。今思えば自分が愚かに思えますが、当時はいたって真剣でした。

では、敵国で生き残るためにどうすれば良いかとなりますが、私は他者から敵と思われないために必死になって自分を他者の眼鏡に合わせようとしました。息を潜めました。目立たぬようにと。優等生的な当り障りない発言をしました。本当の自分がバレないようにと。

そこに本当の私はいませんでした。私は他者の目にとらわれ、他者の目の中に生き、他者の目の奴隷だったのです。

こうして、かつての私だけではなく、一見すると普通に見える人達の中に、内面ではもがき苦しんでいる方々が相当数いるのが実状と言えるでしょう。

人前で話すのが苦手な人達の展開

あがり症の症状が重くなっていくと様々なことを試すようになります。心の弱さが原因と考えて気持ちを強く持ったり、深呼吸をして身体をリラックスさせようとします。あがり症の方にたまに見られるのが自己鍛錬系の人です。まるで戦国時代の山伏か何かのように行(ぎょう)をするのです。心を鍛えようと毎日水浴びしたり、人前での苦手意識を克服しようとあえて営業の仕事に就いたり、心の鍛錬をすれば乗り越えられるはずと考えるのです。私の知っている方にはビルの窓拭きの仕事に従事していた方がいました。高層ビルなどの窓拭きです。もちろん怖いでしょう。その恐怖に打ち勝つことで人前での恐怖をも乗り越えようとしたのです。

私もかつていろいろなことをしました。私の場合は、集中力と気合で学校のテストやここ一番のことを乗り越えてきた経験があったので、世の中は気合だと思っていました。

だから、さんざんやりました。ボクサーや格闘家がやるように、「俺は強い」、「俺はできる」などと心の中で何度も強く念じていました。しかし、悲しいかな、どんな取り組みもうまくいきませんでした。

あがり症の方は本当に発想豊かに様々な対策を考えて、中にはそれで一時的にしのぐことができる人もいますが、かえって逆効果となり益々自分を追い込んでいくのがほとんどでしょう。必死になって不安と恐怖をコントロールしようとするのですが、すればするほどはまっていきます。まるでアリ地獄のように。

そうして、いろいろ試してみても何ら改善せず失望します。時に絶望します。そして次に試みることで多いのがプロに相談です。心療内科、精神科、話し方教室、ボイストレーニング、自助グループ、カウンセリング等々。しかし、薬を飲んでみても、相談してみてもなかなか改善しません。

こうして様々なことをやっていく中でも人は社会で生きていかなくてはなりません。イヤだと言っても、逃げても何をしても人前で話す機会は、生きている限りは必ずやってきます。

あがり症の人は人生を歩いていく中で次々とやってくる関所で、まるで金剛力士のような屈強な門番達に鬼のような形相で問われます。


「この門、人前で喋らざる者通るべからず」と。


仁王立ちで手には太い棍棒を持っています。どうやら金剛力士たちの前でスピーチをしろと。はっきり言って怖いです。しかし、関所を通らずには次の目的地に行けません。どうするか？

関所を通らないで済むような選択肢を考えます。回避です。なるべく関所から遠ざかり、人生の脇道をこっそりと歩もうとします。なにも関所を通らなくても生きていけるんじゃないか、そう考えるのです。しかし、内心ではいつか門番に見つかるのではないかとビクビクです。そして、やがて気づくでしょう。この世界では関所を通らずにはどこにも行けないことを。

この世界で生きていく以上、他者との関わりは必然です。そこでは言葉を介さずには人は生きていけません。それでも、まるで人里離れた山奥に住む仙人のような生き方を選択する人もいます。極限まで他者との接触を断つのです。それも生き方です。それもありかもしれません。しかし、あがり症の方は果たしてその生き方に満足できるのでしょうか。

人を避け続けた人の結末

かつて私は、あがり症の方々が通う自助グループに参加したことがありました。会が始まるとやがて四、五人のグループになってそれぞれの体験を語り合います。私の番が来ました。私は自分自身の体験を語り、今はここまで克服できたといったようなことを話しました。するとある五〇～六〇代ぐらいの男性が私に言いました。治ったなんて信じられない、と。

彼は続けます。私は何一〇年にもわたりあがり症で、これまでいろいろなことを試してきた。しかしどうしてもうまくいかなかった。今はもう治ることをあきらめていると。そして彼自身の体験を話す番が来ました。聞くと、極力彼は人前で話す場面を避けてきたようでした。そしてそれだけでなく、人との接点ですら避けようとしていました。

例えばこの会が終わったら彼は、終了時に玄関の所でなるべく人と一緒のタイミングで帰らないようにしているとのことでした。要は、一緒に帰りながら話すのが苦痛で仕方がない、誰かと電車で一緒になりたくないので一人のタイミングを狙って帰っているのだと。更には、今日この場に来るために家の玄関を出るとき。ガラガラッと静かに玄関を開けてコソコソと表を覗き見する。玄関から少し顔を出して、右向いて左向いて誰もいないのを確かめてから家を出るのだと。そして、もし人がいた場合にはピシャッと玄関を閉めて、しばらく置いてから再度開けてみるのだと。彼は近所の人と挨拶するのが苦痛でしょうがないのだそうです。

彼はあらゆる機会において人との接触を断ってきました。山籠もりするわけにはいかないので、街の中で家籠もりし続けてきたのです。その結果、人生のあらゆる関所を通る回数は極端に少なくなりました。彼は望み通りの状態にしたわけです。にもかかわらず、彼の様子は目は伏し目がち、ビクビクと怯えているようで自信もなさげでした。つまり彼は自分の恐れることを回避できた代償に、自己肯定感や自尊心を失ってしまったのかもしれません。

本当はより良く生きたいのです。本当は人と話したいのです。本当は人前でうまく話したいのです。あがり症の方は人一倍その思いが強いのです。それがかなわぬから苦しいのです。

そうです。実はあがり症は単なるシャイや単なる恥ずかしがり屋とは異なり、より良く生きたい思いの強い人達が織り成す葛藤の病なのです。

では、次の章からは、人前で話すのが苦手な人達の中で、いったい何が起こっているかの仕組みを探るために、アドラー心理学の視点から解説していきましょう。

第一章のまとめ

●あがり症とは一般的な俗称であり、医学的な診断名では、社会（交）不安障害、社交不安症、SADなどと呼ばれる。日本で古くから呼ばれていた診断名では対人恐怖症に近い

●あがり症は、一見ビクビク怯えている内気な人のように見えるが、その裏には強情さや負けず嫌い、そしてプライドの高さを持っている

●人前で話すことができない人は、聴衆は敵と考え、聴衆の中に敵の証拠探しをする

●あがり症の方は自らの価値が下がることを最も恐れるため、あがってない「フリ」をする

●あがり症の方は発想豊かにあれやこれやと対策を考えるが、かえってそれが逆効果となり益々自分を追い込んでいく

●やがて人前で話すのを次第に回避するようになる。なるべくそういった機会、関所から遠ざかり、人生の脇道をこっそりと歩もうとする

第二章　アドラー心理学と人前で話すのが苦手な人の心理

第一節　アドラーとアドラー心理学

アルフレッド・アドラーとは

アルフレッド・アドラーは一九世紀後半（一八七〇年～一九三七年）に欧米で活躍した精神科医です。ウィーンで生まれ、幼児期はくる病や声帯のけいれんに苦しみ、また肺炎にかかったりと病弱だったことがアドラーが医師を目指すきっかけになったようです。

その頃にあった出来事を実際にアドラーは記憶として残しています。弟を亡くしてまもなく、自身が肺炎にかかった時、ぼんやりとした意識の中で、見知らぬ医師が父親に自分のことを告げるのを聞きます。

「もう心を痛めることはありません。この子は助かりません」（『アドラーの生涯』p14）

アドラーは幼き日のこの瞬間に、医師にならなければならないと決心したようです。

アドラー心理学の理論にライフスタイルというものがあります。ライフスタイルとは一般的には生活様式といったような意味ですが、アドラー心理学でのライフスタイルとはシンプルに言えば人の生き方のパターン、いわば人生様式のようなものです。性格に近いですが、性格よりももう少し緩めの意味です。

そしてそのライフスタイルを決定づける要素として、最も古い記憶、早期回想に大きなカギが秘められていると考えます。アドラーのこの生死の境目での出来事は、まさに自分の人生を決定づけた場面だったに違いありません。

やがて、眼科医から内科医となり、その際に近くにあった遊園地のサーカス小屋にいた軽業師や大道芸人の並外れた身体能力の陰には、幼少期に虚弱さや何らかの身体的なハンディキャップを抱えていたことを知ります。アドラーは、そういったハンディキャップ、すなわち器官劣等性が、むしろ何らかの補償として働くようになったのではないかと考えました。私はこのあたりの様子を、「グレイテスト・ショーマン」という映画をいつも思い出してしまいます。弱さは強さへと変わり得る、いや、もしかしたら弱さがあるからこそ逆にそれが原動力になり得るとアドラーは考えたのでしょうか。

また、一時期は心理学の世界ではよく名前が上がるフロイトとも共同で研究した仲でした。しかし、考え方があまりにも違いすぎたため、やがてたもとを分かち、個人心理学会を立ち上げます。

そして、おそらくアドラーの人生に大きな影響を与えたであろう出来事が起こります。第一次世界大戦です。アドラーは従軍医師として傷病兵の治療を戦地で担いました。そこでの悲惨な体験を目の当たりにしたアドラーはやがて平和や社会的な関心を高めていき、特に子どもの教育を重視し、ウィーンに児童相談所を設立しました。そして子供の教育のために先生への指導や公開カウンセリングなどを行いました。

やがて、その活動の場はヨーロッパだけでなくアメリカにまで広がり、売れっ子の講演者として各地を回ったようです。

しかし、時代は第二次世界大戦前夜、ナチスの影と戦争の気配が強まる中、アドラーは一九三五年にアメリカに移民します。そして、スコットランドでの講演旅行中に心臓発作で急死しました。享年六七才。当時の平均寿命からしたら亡くなるのが珍しくない年齢ですが、仕事で世界を駆け回っていたアドラーの活力からすれば、早すぎて、そして惜しまれた死だったのかもしれません。

アドラー心理学とは

では、アドラー心理学とはいったいどのような心理学なのでしょうか。

アドラー心理学は欧米においては、フロイト、ユング、アドラーの三大心理学とされていますが、一方、日本においては最近までそれほど知られることのない心理学でした。心理学の教科書にはたまにポツンと名前だけ載っている程度だったようです。

しかし、長年アドラー心理学を広めてきた諸団体が日本国内にアドラー心理学の種を播き続けていた中で、二〇一三年にミリオンセラーとなった『嫌われる勇気』（岸見一郎著、ダイヤモンド社）が出るや、まるでじょうろで種に水を撒くかのようにその芽を開花させたかのような感があります。

アドラーは生まれるのが一〇〇年早かったと呼ばれるほど、その心理学の内容は今でも全く色褪せません。むしろ今なお最先端を走っているのではないかとさえ思えることがしばしばあります。

アドラー心理学は他の心理学にも大きな影響を与えました。

精神科医のアンリ・エレンベルガーはアドラーの学説を共同採石場と言いました。誰もがそこから何かを掘り出すことができると。

まさにそうです。アドラーは自分の名前も、自分が創り上げた心理学もいつの日か忘れ去られるぐらいになっているかもしれないと言いました。それぐらい一般的に普及しているだろうと。皆さんどうぞどうぞご自由に使ってくださいと言わんばかりのあり方です。

実際、アドラー心理学は心理学という世界だけでなく、生き方や対人関係、子育てなど実生活にも大変役立つ実用的な心理学と言えるでしょう。

心理学や精神医療の領域では、それこそ雨後の竹の子のように様々な理論や方法が年々生み出されます。

では、アドラー心理学とは具体的にどういったものかというと、私の認識では詰まる所、「勇気と共同体感覚」に核心があると言えるのではないかと思います。ちょっとピンと来ないかもしれません。簡単に言えば、一番大切なことは勇気と他者との繋がりにあるということです。多くの心理学は時に科学的だったり、ガチッと固くて取っつきづらいところがありがちですが、アドラー心理学は心理学に勇気や共同体への貢献といった価値観を取り入れました。

優しさとか勇気とか貢献とか、なんだか道徳というか小学校の体育館にでも貼ってある言葉のように思えるかもしれません。実際、勇気と共同体感覚を提唱したことで多くの仲間がアドラーから離れていきましたが、一方その価値観こそが、私はアドラー心理学の根幹ではないかと思うのです。それはまるで、人が困難に陥った時にまるで渇いている人が喉の渇きを潤すかのように必要不可欠なものです。

そしてもう一つ、アドラー心理学とは、人間というものを深く探求した心理学です。心理学と言うと、自分の内面を深く掘り下げるイメージがあるかもしれませんが、アドラー心理学は内面だけでなく、外の世界へも視点を広げました。他者に対して、世界に対して、人類に対して。アドラーは人間の悩みの全ては対人関係の悩みだとしました。そういう意味ではアドラー心理学とは、人と人とがより良く関わることで幸せになるための心理学とも言えるのかもしれません。

マイナスからプラスへ

アドラーが大道芸人たちが持つハンディキャップ、すなわち器官劣等性から、むしろそれを原動力にして克服したり、違う何かでカバーしたりしようとしていることに関心を寄せたように、意外に私たちの周りではこういったことがしばしばあります。

私は障害者関連の仕事をしていた時期があるので、こういったことはしばしば目にしました。ある聴覚障害者の方がいました。生まれつきの聴覚障害のため、発語もうまくできません。その方と数年ぶりに会った時のことです。身振り手振りで聞いてきます。この前、私のことを見かけた、自転車を買い替えたのかと。私は、そうですよ、何で知ってるのと返しました。その方は言いました。前に会った時は銀色の自転車に乗っていたが今回は茶色だったと言うのです。その方は数年前に私と一度会った時に、私が乗っていた自転車の色を覚えていたのです。そういったことがその方と接しているとしばしばありました。服の色とかそういった視覚情報に対して鋭敏さを持っていました。

私たちは生きていくためには必死に周囲の情報を収集しなければなりません。その方は聴覚が聞こえないことから、無意識に視覚で必死に情報の穴埋めをしようとしていたのかもしれません。

また、発達障害の方々と関わったことのある方ならよく知っていることと思いますが、発達障害の方々の中には、非常に個性的な才能をお持ちの方がいます。

あるバイク好きの方は、排気音で車種が分かると言いました。また、電車好きの方にも同じように、車輪の音で電車の車種が分かると言う方がいました。よく電車の脇に書いてある、例えば「キ-15368」みたいなものでしょうか。私は「はぁー、そうですか」と口をポカンと開けるよりほかにありませんでした。

他にもよくいるのがカレンダー記憶の持ち主。○年後の○月○日は何曜日かと聞くと、元気よく「水曜日」などと間髪入れずに返ってきます。

こういったようなある意味、無意識的に自分のハンディキャップを補償しようとする能力だけでなく、意識的に補償するものもあるでしょう。パラリンピックに出られる方などはその典型かもしれません。車いすに乗ってマラソンやバスケットボールをし、腕がなくとも泳ごうとします。もっと前へ、もっと上へと。たとえ何らかのハンディキャップを抱えていたとしても、その状況からより良くあろうとするのです。

ベートーヴェンは耳が聞こえなくなってもあれだけの作曲家となり、ボクシングの元世界王者の内藤大助さんはいじめられっ子からチャンピオンにまでなりました。

そして、実は、私のような対人援助職、たとえばカウンセラーや福祉関係職、精神科医といった仕事に携わっている方々の中にも、かつては自分や家族がつらい思いをされた方々がその職に就かれていることもしばしばあります。

私がかつて福祉関係の資格を取るために専門学校に通っていた頃のことです。授業で、ある演習が行われました。自己紹介に始まり、自分がこの資格を取ろうとした動機など、自分を深堀りして話す内容でした。すると、驚くほどにたくさんの人が自身の体験を話されました。自分がかつて悩んでいたこと、家族に障害を持つ人がいたこと、皆さん何かしらの負とも言えるような動機をお持ちでした。

私なんて、あがり症で悩み過ぎたのであがり症の専門家になって、しまいにはこうして本を出すようにまでなってしまいました。

また、アドラー心理学のライフスタイル診断という手法で、人の人生を幼少期から聞いていくと、その頃の状況や感情がその人の人生を濃く彩っていることに気付きます。

事業で挫折した父のリベンジをするかのように父と同じ事業に挑戦する人。海外に憧れ続けながらも行けなかった母の思いをくむかのようにキャビンアテンダントとなって世界を駆け回る人。小さい頃にきょうだいに傷を負わせてしまったことを悔い、罪滅ぼしするかのように傷ついた人のために生きようとする人。万引きしてしまった罪悪感から、論語を学び社員教育に力を入れようとする人。寂しい思いをしたことをずっと抱えて人と繋がろうとする人。

人は、何らかの身体的ハンディキャップ、すなわち器官劣等性だけでなく、劣等感をも克服しようとするかのように生きている。アドラーはそう考えたのです。

けれど、この世界にはもっと幅広く様々なことがあります。肉体、生物、人類等々。アドラーは個人から更に思考を広げました。

例えば、バットで素振りをします。何度も何度もバットを強く握りしめて振ることにより、摩擦で傷ついた手のひらは固くなります。

生物は置かれた状況で様々に形態を変えて適応しようとします。土手に生えた木は、斜めになった幹を支えるために根を幾重にも張り巡らします。ひまわりは太陽の方を向いて咲き、動物や人間は群れを作ることで外敵から身を守り、危険な世界を生き延びようとします。

人々の生活や文化もそうです。原始時代にあっては雨露をしのぐために屋根を作ります。獲物を狩るため槍などの石器を作ります。水を貯めておくために壺を作り、食べ物を盛るためにお皿を作ります。記録を残すために文字を発明し、夜でも活動するために電球を作ります。遠くの人と話すために電話を作ります。

個人の器官劣等性や劣等感だけでなく、生物や人類に至るまで、様々な足りないところや欠けているところ、それらが前に進むための原動力のようになって進歩発展に繋がっていると考えたのです。アドラーは言います。

「すべての人を動機づけ、われわれがわれわれの文化へなすあらゆる貢献の源泉は、優越性の追求である。人間の生活の全体は、この活動の太い線に沿って、則ち、下から上へ、マイナスからプラスへ、敗北から勝利へと進行する」（『人生の意味の心理学（下）』ｐ87）

私たちが何となく生きて、何げなく仕事をして、何げなく何かを求めて生きている中で、知って

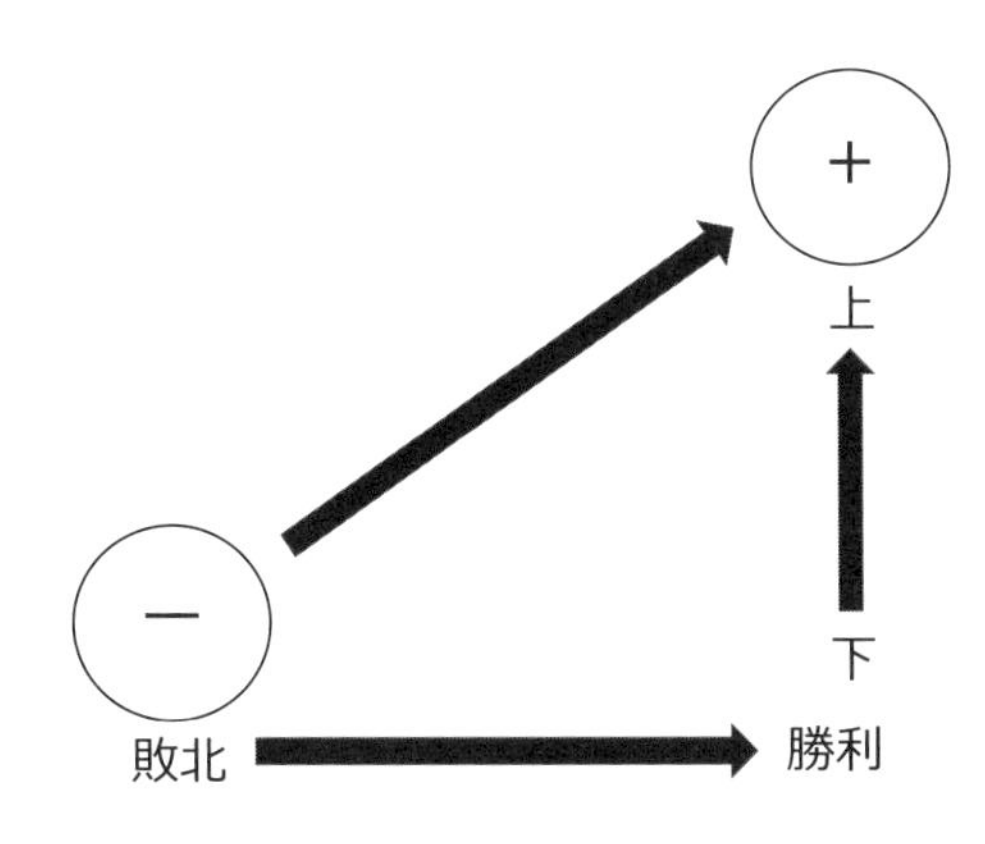

下から上へ、マイナスからプラスへ、敗北から勝利へ

いるようで知らない行動の源泉にあるもの、それらはマイナスの状態からより良くあろうとする優越性の追及にあるとアドラーは言ったのです。そしてその優越性の追求の先にある何らかの目的に向かっているのだと。そう考えるのならば、人はどんな状況にあってもより良くなろうとする存在なのかもしれません。

だから、人前で話すことが苦手な人も、今の状態から何とかより良くなろうとしながらも、なかなか良くならない現状にもがき苦しんでいるのかもしれません。

では、次からは、人前で話すことが苦手な人の状況をアドラー心理学の理論をもとに考えていきます。

第二節　アドラー心理学と人前で話すのが苦手な人の心理

原因論と目的論――あがり症になった原因は？

心理学には、原因論と目的論の視点があります。原因論とは心の問題を原因から考えるやり方です。

トヨタの生産方式で「なぜなぜ分析」というものがあります。これは例えばトラブルなどに対して、五回「なぜ？」を繰り返していくことで本当の原因に辿り着こうとする考え方です。

例えば、「部品に不具合があった」→「なぜ？」→「品質管理ができていなかった」→「なぜ？」→「開発期間が短くチェックが甘かった」→「なぜ？」……といったように。もちろん、実際の問題ではもっと複雑な状況でしょうが、こうして本当の原因を見つけることで再発防止を図るのです。

では、この原因論の視点を人の心や行動に向けた時、どうなるでしょうか。

私はしばしば研修などで「なんでワーク」というのをやります。失敗やミスに対して「なんで？」、「なんで？」と繰り返していきます。そのワークを初めてやる時に親しい友達に練習台になってもらいました。子どものことをたまに怒ったりするということだったので、そのことについて誇張気味にやりました。

「俺、この前子どものこと怒っちゃったんだよね」

「なんで？」

「いや、言い訳したからさ」

「なんで怒るの？」

「いや、強く言わないと分からないから」

「なんで強く言わないと分からないの？」

「いや、なんでって、その、それぐらいやらないと……」

「なんでそれぐらいやらないといけないの？」

「いや……その、だって……」


友達は段々しどろもどろになっていき、最後には「もうやめてー」とギブアップしました。

なんで？なんで？と聞いていくと、聞かれる方は段々苦しくなって言い訳したり嘘をついてしまったりします。極端な話、冗談ではありますが、お前なんで人間なの？とか、なんで息吸ってんの？

といったふうに、どんなことでもネタにして責めることができるかもしれません。

では、この原因論の視点を人前で話すのが苦手なあがり症の人についてやってみましょう。人前で話すのが苦手な人の中には、あがり症がひどくなって社会生活を避けるようになってしまう人がいます。あまりに苦しかったり、あるいは大失敗して会社や学校に行けなくなったりします。そういった人が学校に行けなくて不登校になる原因を考えてみます。

不登校の原因（例）

●あがり症がひどいから
●根性がないから
●さぼり癖があるから
●先生に厳しく怒られたから
●友達がいじめるから
●親が甘やかすから

とりあえずこんなところでしょうか。なるほど、確かにそうかもしれません。では、この原因に対してどうすれば良いかとなりますが、この理由であれば例えば、あがり症を治せばいい、根性を鍛え直せばいい、先生に厳しく言わないようにお願いしよう、親をなんとかしよう、などといったところかと思いますが、はたしてこれらでうまくいくのでしょうか。それであがり症は治るのでしょうか。根性は鍛え直せるのでしょうか。先生にお願いしてうまくいくのでしょうか。

それではなかなかうまくいかないかもしれません。そして、原因論の発想でうまくいかなかった時に何が起こるかというと、原因の行き着く先を誰かに求めるようになります。この子が悪い、学校の先生が悪い、親が悪いといったように誰かのせいになって、ギスギスした感じの悪者探しになってしまいかねません。

では、今度は不登校の目的を考えてみます。学校に行けない原因ではなく、行かない目的です。

不登校の目的（例）

●傷つかないため
●失敗しないため
●恥をかかないため
●自分を守るため
●いじめられないため

だいたいこんなところでしょうか。何かさっきまでと印象が違います。一つには、原因の時は「〜から」が多かったのに対し、目的の時は「〜のため」が多いことです。

「〜のため」が多いとどう感じるでしょう。原因の時は誰かのせいといったネガティブな印象が強かったのが、目的で考えると今度は誰かのせいと言うより、自分を守るためといったポジティブな印象が強く感じられるのではないでしょうか。

ですから、一見、不登校と言うと不健全な印象がありますが、その子なりの目的という視点にたった時、それは理解できなくもないような印象を感じます。むしろ、自分の心を守るためのある意味、健全というか必要だった行動とさえ感じます。誰かを悪者にすることもありません。

かといって、ではずっと不登校のままでいいのかと言うとそれは違うでしょう。本人だって本当は学校に行きたいのかもしれない。先生だって本当は生徒に来てほしい。親だってもちろん子供に元気よく学校に行ってほしい。

つまり、望んでいることや目的はみんな一緒なのかもしれない。そこで、今度は目的論の視点に立った対応を考えてみましょう。今現在、不登校だけど学校に行くという全員の共通の目的のためにどうすればいいかということです。

学校に行くという目的のために（例）

●先生に相談してみる
●友達に迎えに来てもらえないか相談してみる
●保健室まで行ってみる
●校門まで行ってみる
●寝る前に明日の用意だけはしてみる

原因で考えた時は、あがり症を治せばいい、根性を鍛え直せばいいとか、先生に厳しくしないように言えばいいなどといったようなことが上がりましたが、ちょっと様子が違ってきたかもしれません。あまり無理な感じがしません。そして誰かが悪者になる印象もないです。

だからといって、これがうまくいくかどうかは分かりません。ただ、大切なことは、みんなが一つの目標に向かっていく一体感や協力関係ではないでしょうか。こういったことがアドラー心理学が取る目的論のメリットの一つです。

ここで言いたいのは、人前で話すのが苦手なあがり症の方は、もう十分に傷ついているということです。恥をかき、そんな自分を責め、失敗したことを後悔しています。原因論で考えることで、もう自分や誰かを責めないでほしいのです。原因論でなるほどそうかと分かった所で、解説にはなっても解決にはなかなか結びつきづらいのです。

ここまでは、学校に行かないという目的、学校に行くためにという目的視点で考えてみましたが、もう一つここで取り得る目的論の視点があります。それは「あがる目的」です。

あがる目的と言われると戸惑われる方もいるかもしれません。それについては後程触れていきます。

では、もう少し原因論について考えてみましょう。

私のもとにご相談に来られる人前で話すのが苦手な方のほとんどは、原因論の視点で話されます。あがり症があるから、緊張と不安がなくなれば、震えが収まればといったような。当たり前と言えば当たり前です。傷ついたらばんそうこう、骨折したらくっつければいい、頭が痛ければ頭痛薬を飲めばいい。そんな思考回路でやってきた私たちの文化では当然です。

ところが、実はあがり症には実態がありません。脳に異常があるわけでもなく、心臓に欠陥があるわけでもなく、自律神経に問題があるわけでもなく、あがり症とはあがることに意識を過剰に向け続けることによる悪循環の病だからです。

例えば、そんなに痛くないような傷でも、そこに意識し過ぎれば何となく痛みが増します。緊張や不安も同じことなんです。あがらないようにあがらないようにとあがることに注目し過ぎることで余計にあがってしまう。だから、あがり症に原因論で立ち向かってもなかなかうまくいきません。

また、しばしばいらっしゃるのが、親の育て方が厳しかったからあがり症になったといったようなことを仰られる方です。小さい頃我慢するようによく言われた。あんなに怒られたから緊張するようになってしまった。何かを欲しいと言ってはならなかったといったように、それぞれにそれぞれの理由があります。たしかにそういったこともあり得るでしょう。ですが、これもまさに原因論の視点なため、治るためにどうすればいいのか、なかなか考えつくのが難しいです。親に育て直ししてもらうわけにもいきません。

こんな方がいました。いざという時に緊張してあがってしまうのは、親から小さい頃にわがまま言っちゃいけないとか、欲しいと言ってはいけないと育てられたからだと。そうして私の講座に参加されていましたが、ある日他の専門家のところに行って潜在意識を変えたのでもう大丈夫になったと言います。とは言いながらもその後も講座に参加し続け、表情も良くありません。やはり、どうしても何かあると親のせいという思考に戻ってしまい無力感が漂います。

このように、「親に傷つけられたからあがり症になった」という原因論の文脈を持ってしまうと自分で解決するという意識が弱くなり、親のせいという物語の中に生き続けるようになってしまいます。治ることを望みながらも治ると物語が崩壊するので治ってはならないという、なんとも矛盾した状態になってしまいます。あがり症が治りづらくなってしまうことの一例と言えるでしょう。

では、次にこういった対人関係の視点であがり症を見ていきましょう。

対人関係論――地球上に自分一人しかいなかったらどもりますか？

アドラーは言いました。あらゆる人の悩みは対人関係の悩みであると。

私たちはこの世界で生きていくために、好きか嫌いかに関係なく否応なしに人と関わらざるを得ません。自分一人だけで衣食住等の生きていくために必要なことを完結できるほど、人は万能ではないからです。そうして人と関わっていく中で様々なことが起こります。良いことだけでなく、面倒なことや良くないこともあるでしょう。

人とは不思議な生き物で、人と仲良くなりたいのに人を拒絶したり、人と繋がりたいのに人を避けたり、人と話したいのに話したくなかったり、矛盾した気持ちが一つの人格に同時に存在しています。この世界で起こる良きことも悪しき悩みも、矛盾した複雑な人間同士が織り成す対人関係から生まれるのです。

なるほど分かったような気がするものの、少し腑に落ちない方もいるかもしれません。人間のあらゆる悩みは対人関係の悩みと言われても、では病気の悩みはどうなのか、お金の悩みは、死ぬことの不安や恐怖は、などといった疑問を持たれる方もいるのではないでしょうか。

その疑問に対してシンプルに答えるのならば、もし地球上にあなた一人しかいなかったらそれらは悩みになるのでしょうかということです。

その時、病気の悩みは、悩みというよりも単なる肉体的な苦しみに変わってしまうのではないでしょうか。お金があるかないかというのも他者がいない以上そもそもお金を交換できません。お金の意味がなくなります。また生死の悩みもあらゆる生物が待っている生命存続のための本能に近くなるのではないでしょうか。

地球上に自分以外の誰かがいるからこそ、無機質な痛みや苦しみだけでなく、感情的な悩みもまた生じる。つまり、痛みや苦しみに対人関係という要素が加わった時、人間特有の悩みが生じるのです。もちろん、悩みの全てに痛みや苦しみが伴うわけではありませんが。

痛み（苦しみ）≠悩み
↓
痛み（苦しみ）＋人間関係＝悩み

例えば、病気になることで仕事で他の人に迷惑がかかってしまうと心配するかもしれませんし、病気になったことでこれまでと同様のパフォーマンスができず人からの尊敬や感謝を得ることができなくなるかもしれない。

お金があるからこそ、誰かに見てもらうためのおしゃれができるし、逆にお金がなかったら着ていく服がなくて恥ずかしい思いをするかもしれない。

生死の悩みも、死にたいと思っている人はこれ以上もう生き恥をさらしたくないと考えるかもしれないし、死が迫っている人は本来書きたかった小説を出せず、世に自分の名を残せないと悔いを残すかもしれません。

自分の心を占めているもの、そして考えるその先に、必ず「誰か」という存在がいるのではないでしょうか。

以前、私のあがり症講座に参加された吃音（どもり）の方がいました。その方は自分の部屋で発声練習をしていると言うので、私は質問しました。

「自分一人で部屋で練習している時にどもりますか？」

その方は答えました。

「どもります」

私はあれっと拍子抜けしました。想定外の返事だったからです。てっきり私は、一人だとあまりどもりませんねといったような答えを期待していたのですが、それが返って来なかったからです。おかしいなと思ったのですが、あとでよくよく考えてみてあることに気づきました。

表面的には、その方は部屋で一人で練習していたのかもしれませんが、決してそうではなくて、自分の中の想像の世界できっと周りに誰かがいるかのように感じながら練習していたのではないかと。一人でいながら一人ではなかったのです。

アドラーは言っています。

「吃音のある人が、他の人と交わりたくないが、通常、一人の時は上手に話せるという証拠を私はたくさん持っている。見事に読んだり、朗詠することさえできるかもしれない。それゆえ、吃音は他者の態度に対する表現としか解釈することはできない」（『人はなぜ神経症になるのか』ｐ73）

吃音の原因は諸説ありますが、それでも吃音を含め、赤面症やあがり症は、決して身体的な欠陥が理由としてあるのではなく、アドラーは対人関係に対する表現だとしたのです。赤面症は一人の時赤面するのでしょうか。あがり症は一人でいるときあがるのでしょうか。そこに他者がいる、あるいは他者がいると想定される時にこそ症状が出るのです。だから、私は質問の仕方を変えれば良かったのです。こんな風に。

「この地球上に自分一人しかいなかったらどもりますか？」

ここでどもりますと言える人は、いったいどれだけいるのでしょうか。少なくとも私がこれまで関わってきた方で言える人はいないような気がします。口腔器官に不具合を抱えている方は別として、まずほとんどのどもりの人がそうは言えないのではないでしょうか。

あらゆる人が発する言葉、振る舞い、感情、夢でさえも、その行動の向こうには誰かという存在がいます。

地球上に自分一人しかいなかったらどもりますか、という問いに変化球で答えるのならば、そもそも自分一人しかいなかったら人類は滅亡するでしょうと答えるかもしれません。人は自分一人では生きられないからです。

原始時代からそうでした。ある人は狩りに出て、ある人は水を汲みに行って、ある人は子どもを産んで子育てをして、ある人は服を作って、ある人は稲刈りをして、ある人は土器を作る。これが分業の原点でしょう。自分ができないことを誰かにしてもらってこそ全体が存続できるのです。

また、種の保存という意味では、男と女という二人がいなくては人間はそもそも子孫が生まれません。

自分がいて誰かがいる。私とあなた。あなたと私。人は必然的に人と関わっていく運命にあります。そしてそのためには「人 - 人」という関係でコミュニケーションを図らなければなりません。そのコミュニケーションを構成する「言葉」をキャッチボールしあっていくことで、分業が成立するのです。

そう考えるのならば、「言葉」を円滑にキャッチボールするためには、「協力」という課題が待っているのかもしれません。つまり、言葉を発することの悩みである吃音（どもり）は、対人関係の課題であり、協力の課題とも言えるでしょう。

では、次に、人前で話すのが苦手な方が他者をどういった風に見ているのかを解説していきます。

認知論——だって世界は恐ろしい所なんですから

明治から昭和に生きた作家である芥川龍之助の小説に「藪の中」という作品があります。

これは、ある男が殺されたことに対して、目撃者や関係者によって全くストーリーが異なるため、いったい誰が犯人なのか分からなくなってしまうという話です。

こういったことは、何もこの作品に限りません。現実生活の些細なことでもよくあることです。よく例えとして挙げられる例がコップに入った半分の水です。ある人が見れば「もう半分しかない」というものが、別の誰かが見れば「まだ半分もある」となります。失敗もそうでしょう。ある人が見たら立ち直れないようなことでも、別のある人が見たら大したことないということはよくあります。

そしてそれは、人前で話した時の失敗もそうでしょう。あがり症の人は、人前で声が震えたり、うわずったりした失敗を絶望するような出来事と捉えます。しかし、それを見ていた人々にとっては、すぐ忘れてしまうぐらいの大したことのないことだったり、あるいは声が震えたことにすら気づいていないことがほとんどです。

もっとも、たとえそれを本人に言った所で、それを信じるあがり症の人はほとんどいないでしょう。

本人なりの絶望ストーリーが真実になってしまっているからです。これは物事や出来事の捉え方にその理由があります。

アドラーは言いました。経験そのものに意味はないと。経験そのものとは、例えば、病気をした、上司に怒られた、大学受験で落ちたといったようなもの。

それらに意味がないと言うと驚く人もいるかもしれません。病気も、上司に怒られるのも、受験に失敗するのも、それなりに大変なことではと考える人もいるでしょう。けれど、それら経験そのものには本来意味はないのです。意味は私たち自身が決めます。

ある人は、病気をしたことをなんてツイてないんだと考えるかもしれませんし、またある人はこれでゆっくり休める、ラッキーと考えるかもしれません。上司に怒られて理解してくれないダメ上司と考える人もいれば、自分のためを思って叱ってくれていると考える人もいるでしょう。受験に落ちて人生が終わったと考える人もいれば、悔しくて来年に向けて奮起する人もいるでしょう。

すると、行動も変わってきます。病気になって落ち込んで何もやる気になれない人もいれば、ゆっくり本を読む人もいる。上司に怒られてムカついて、同僚と飲み屋に行って愚痴を吐きまくる人もいれば、怒られたことを改善しようと仕事に励む人もいる。受験に落ちてやる気をなくしてニートになる人もいれば、予備校に申し込む人もいる。

つまり私たちは、経験そのものを自分の見方で意味づけて、その意味づけをもとに自らの行動を決定しているのです。経験それ自体は無色透明なのです。だから私たちは意味づけの世界に生きています。

真実のようであって真実でなく、一〇人いれば一〇人の、一〇〇人いれば一〇〇人の真実がある。そう考えるといったい何が真実で何が真実でないのか、私たちが見ているこの世界とは実にもろい虚構（フィクション）の世界のようにも思えてしまいます。

では、人前で話すのが苦手なあがり症の人は、いったいどんな意味づけをしたどんな虚構（フィクション）の世界を生きているのでしょうか。アドラーはその著者の中であがり症を含む神経症者について語っています。

「敵国の中に住んでいて、いつも危険にさらされているかのように、過度に緊張しているという傾向を彼に説明することができる」（『個人心理学講義』ｐ63）

この「敵国」については第一章でも述べましたが、あがり症の方が人前で話す時、決してリラックスしようとしません。それには目的があります。危険だからです。自分の話を聞いている人たちの中には敵がいると見立て、それに備えるのです。あいつが敵か、いや、こいつかと。敵と言うと極端な印象を持たれる方もいるかもしれませんが、あがり症の方でこの表現にうなずかれる方は多くいます。

ゆえに、自分が人前で話した際に失敗することは極端な話、時に死を意味します。さながら戦場の兵士です。

ベトナム戦争でアメリカ軍はベトナムのジャングルでベトコンと呼ばれる解放戦線の兵士と壮絶な戦いを繰り広げました。血で血を洗う激戦の中で、アメリカ兵はジャングルの中を行進していきます。ベトコンはゲリラ戦で様々なトラップを仕掛け、アメリカ兵を苦しめました。やがて村の中の女性や小さな子供にまで敵がいるのではないかと猜疑心を持つようになりました。

そんな心理状態で、アメリカ兵は熱帯の険しいジャングルの中を行軍していきます。ベトコンの襲撃を警戒し、死のトラップに怯え、さまようように行進してきた中で、とある村に辿り着きます。外国人、しかも自国を蹂躙するアメリカ兵の姿が村に入ってきた瞬間、村の人々が一斉に見ます。自分に注がれる目の数々。子供、女性、老人……そして思います。本当に村人か、ベトコンがいるのではないか、誰かが銃を持っているのではないか、罠を仕掛けているのではないかと。

決して警戒を緩めることはありません。村人のわずかな動き、視線、村人達の会話のやり取りとその表情。食い入るように見つめます。自分を害する証拠探しを徹底的にするのです。

ここまで極端ではないかもしれませんが、あがり症の方が人前で話す時はこれと非常に似た心理状態にあります。

あがって声が震えたら、どもったら、赤面したら、撃たれるとは言い過ぎかもしれませんが、ダメなやつと思われるかもしれない、軽蔑されるかもしれない、可哀想に思われるかもしれないと考えて警戒するのです。そして、実際に人前で失敗してしまった時には、撃たれて終わりとは言いませんが、恥ずかしくてもうこの会社にはいられないと転職を考える人もいます。

そんなことをしてたらとてもじゃないですが気が休まることなどないでしょう。他者を信用していないのですから。もちろん自分に対してもそうです。あがり症の方は自分を否定的に見て、過度に劣等感を抱えている方が多いです。

ダメな自分の物語を創り上げる

こんな方がいました。とある企業の管理職の方です。長年あがり症に悩み続けていました。しかし、あがり症の方でしばしばいるのですが、責任感が強く完璧主義的な性格なので仕事がきめ細かい。この方もそうでした。仕事ができるので出世していきます。けれど、そこに付きまとってくるのが人前で話す機会でした。会社に入って最初は良かったものの、段々そういった人前で話す機会が増えていく。時に声が震えてしまったり、頭が真っ白になって逃げるようにスピーチを終えたり。そうして自信をなくし相談に来られました。

その方は言います。新入社員が堂々と話しているのを聞くと劣等感を感じてしまうと。すごいやつだなって思って引け目を感じると。

客観的に見たら仕事のできる管理職と、人前で思ったことを話しただけのまだ何も知らない新入社員。誰がどう劣等感を感じる必要があるでしょう。もしその新入社員が、管理職の方に劣等感を感じたと言われたとしても、何を言っているのか不思議に思ってしまうかもしれません。

こんな方もいました。あがり症のセミナーに来られた方で、この方もある会社の管理職の方でした。人前であがってしまう自分が情けないと。そして並み居るあがり症の方々の前で自分の状況を理路整然と、かつ流暢に話します。他の参加者の話に対しては穏やかに接し、前向きなコメントをします。最初から最後までその方が主役みたいな場。他の方からしたらこの人がなんで来てるのか理解できません。

けれど、このいかにも優秀な方もまた、恐らくは完璧主義的な傾向を持つのでしょう、自分が人前であがってしまうこと自体があってはならないことなのです。なのに、どれだけ努力してもどうしてもあがってしまう。なんて自分はダメな人間なんだと失望してしまうのです。

傍から見たら、そんなのどう考えても気にしすぎだし、全然あがっているようには見えないかもしれません。ところが、それを言った所でその方には響かないでしょう。その方は、自分に起こった出来事を自分色に意味づけて解釈し、自分がダメな証拠探しをしてやはり自分はダメだと何度となく確信しているのですから。なかなか手強いのです。

あがり症の方がその悩みの渦中にある時は、これほどまでに歪んだ見方を持ちます。そして自分にとっての真実としてその見方をもとにこの世界を見ます。

そして面白いと言ってはなんですが、そういった方々があがり症の実践セミナーに来られた時に起こることがあります。これは実際に人前で話してもらい、その様子を動画で撮って後で見てもらうのですが、もちろん、皆さん食い入るように見ます。そして見終わった後、時々いるのが、想定外の反応をされる方です。

てっきりブルブル震えてしまったり、おどおどしていると思っていたのが、見てみると思ったほどそうではなかった時、皆さん怪訝そうな顔をされます。そして、じっと画面を見つめて、全然問題なさそうなところで、やっぱりここでちょっとどもっていますねなどと、ダメなところをあら探しして見つけ出します。本当にいったい何のために何を探しているのでしょうか。

あがり症の方は自分の極端な思い込みの世界を間違いないと言い張りたいのでしょうか。そしてその物語を構成するパーツを寄せ集めて、そのあがり症物語を展開していきたいのでしょうか。まるで望まぬ現実を自ら手繰り寄せようとするかのように……

私のトラウマっていったい何なんですか

私は、以前にすごく衝撃を受けた出来事がありました。最初に出した本の出版打ち合わせをしていた時のことです。私のあがり症体験について話していた中で、自分自身の一番のトラウマ体験として、高校二年生の時に国語の授業で本を読んでいた際に声がブルブル震えてしまったという話をしました。

優等生で運動もできて明るくやっていた自分が、まさか人前でブルブルと震え、息も絶え絶えに顔がカーっと真っ赤になり、教室のみんながなんだなんだとざわつき始めて、そしたら益々声が震えて絶望感いっぱいで席に着いたと。

当時感じた痛みを身に感じながら話した後でした。ある関係者の方が言いました。ちょっといいですかと。私は答えます。はいどうぞ。その方は奥歯にものが引っかかったような感じで言います。

「あの……その……何と言っていいのか……」

私は内心思いました。私のトラウマ体験が心に響いたのかなと。その方は続けます。

「……その……大変失礼な言い方かもしれませんけど……その……よくある、誰にでもよくあるようなことが……佐藤さんにとってはトラウマ体験……だったん……ですか」

「！（絶句）」

私は衝撃のあまり、二の句が継げませんでした。私の一番のトラウマ体験がその方からしたら、どうでもいいようなよくあることであり、では私の一番のトラウマ体験とはいったいなんだったのかと。

いったい真実とは何なんでしょう。私は自分自身の体験や、これまでのあがり症の方々と接してきた中で本当に感じます。全く同じ出来事でも、あがり症の人とそうでない人でここまで事実が異なるものなのかと。

あがり症の人は、自分が捉えた真実が世の真実とは違うのだと、まずは気付くべきなのかもしれません。

では、次にその真実をもとにあがり症の方はどういった展開を辿っていくのか見ていきたいと思います。

全体論——全てを使って目的をかなえる

私が学生時代のことです。当時、私はパチンコに夢中になっていました。釘の向きやバランス、回転数や攻略法等、結構研究して稼いでいました。

ある日、パチンコ屋の新装開店がありました。今のパチンコ屋は分かりませんが、私が学生の頃のパチンコ屋では、こういった時は釘が甘くなり、いつもよりお客さんは勝てるようになります。なので、パチンコ好きの人たちはそういった新装開店に殺到します。開店時間の何時間も前から並んでなるべくいい台を確保しようとします。

私の周囲もパチンコ好きが集まっていましたので、みんなで一緒に行きます。そしてもちろん私も誘われます。ところが、その新装開店の日が、不幸にしてバイトの日と重なっていました。そこで私は間髪入れずに、即座に動きました。バイト仲間巡りです。けれど、電話してダメ、直接部屋に行って先輩に頼んでもダメ、代わってくれる人が誰もいません。前代未聞です。

私はハタと困りました。

だんだんバイトの日が近づくにつれ悶々としてきました。ふとした時に当時のパチンコ屋のテーマソング、軍艦マーチの音楽がまるで幻聴のように聞こえてきます。

友達連中が新装開店のことを楽し気に話しているのを聞いていると、話題にも入れずがっかりして気持ちが落ちていきます。何かやる気がなくなっていき身体も重くなり、大事な授業を休んでしまいました。そして、なんとしまいには夢にまでパチンコを打っている場面を見るようになってしまったのです。夢の中では大当たりして楽しいのですが、夢から覚めれば変わらぬ現実が待っています。

何とかならないものかと思っていた時、あるアイデアが浮かびました。けれど、いくら何でもとためらいました。結局私は、葛藤の果てにバイト先のすし屋に電話するべく受話器を握りました。今まだ生きている親戚のおじさんの葬式に出るのでバイトに行けませんと。

今思い返しても本当にお恥ずかしい限りですが、そうして私はパチンコ屋の新装開店に行くという目標をかなえたのでした。勝ったかどうかは覚えていませんが。本当にひどい人生を歩んでいました。

前置きが長くなりました。結局言いたいことは、人間その気になったら目的のためには何でもするということです。思考も、感情も、無意識も、身体も、夢も、あらゆるものを使って。

ちょっと誇張気味かもしれませんが、私はパチンコ屋の新装開店に行くという揺るがぬ目標を持っていました。しかし、そこには新装開店の日がバイトと同じ日という困難が待ち構えていました。そこで私は試行錯誤を始めました。友達や先輩に代わりに入ってくれないかと頼みますが、誰も代わってくれません。そうしたら気持ちが悶々としてきて、やがて白昼に軍艦マーチの音楽を幻聴で聞き、寝ている時には夢にまで見る。気力がなくなって学校も行きたくなくなる。やがて倫理的道徳的価値の一線を越え、親戚が亡くなったことにして、そうまでして目標を実現させました。アドラーは言います。

「重要なことは、（行為の）個々の文脈、即ち、個人の人生におけるあらゆる行為と動きの方向を示す目標を理解することである。この目標を見れば、様々なばらばらな行為の背後にある隠された意味を理解することができる。それらは全体の部分として見ることができる」（『個人心理学

講義』p10）

ちょっと何を言っているのか難しいかもしれません。解説していきます。

しばしば私たちは、何かしらの問題に出会った時、その原因を考えます。それがことメンタルヘルスや人間心理に関することの場合、うまくいかなくなってしまう場合があります。先ほどの私のパチンコ新装開店事例で考えるなら、当時の私を場面場面で見た場合、いろいろな原因が見えてきます。

冗談めいた話ではありますが、たとえば、どうも日中に軍艦マーチの音楽が聞こえてくるんですなんて話を聞いたとしたら、統合失調症の幻聴かなんて心理職の方は考えてしまうかもしれません。

あるいは、気力がなくなって身体が重くなったなんて話を精神科医が聞いたら、うつを疑って、深刻そうなら抗うつ薬を出すかもしれません。あくまで可能性として。

あるいは、学校を休んだと聞いたら、人間関係のトラブルやいじめを疑ったり、あるいは不登校かなどと考えてみたり、親戚のおじさんを亡くしたことにしようかどうか悩んでいるのを聞いたとしたら、そうか葛藤しているんだね、などと話を聞いてあげたりするかもしれません。もしかしたらですが。

言いたいことは、つまり、個々の出来事という部分を見ていると本質を見失うということです。アドラーの言うように、あらゆる行為と動きの方向を示す目標を理解すること、私の例で言えばパチンコ屋の新装開店に行く目標を理解することによって、部分の意味も理解できるのです。

当たり前のことを言っているように思えるかもしれません。けれど、そう思う方にお聞きしたいのです。もし、このケースにおいて、パチンコ屋の新装開店に行きたいという目標を私が誰にも言わなかったとしたら、幻聴が聞こえ、気力がなくなり身体症状も出始め学校を休んだ私をどのように理解するでしょう。精神科医が抗うつ薬を処方したと聞いて誰が絶対あり得ないなどと言えるでしょうか。

しかし、目標を知って初めて全てが紐解けるのです。つまり、思考も、幻聴も、無意識で見た夢も、気力がなくなったのも、学校を休んだのも、倫理的葛藤をしたのも、目標から考えたら何ら矛盾していない。部分で見たら理解不能でも、部分を全体から見れば一貫した目標追求性がそこにあるのです。部分は全体であり全体は部分である。これらがアドラー心理学で言うところの目的論であり全体論です。

他人のどうしてと思ってしまうようないわゆる問題行動も、例えば前章で上げたような不登校やひきこもりだったり、あるいはクレーマー、摂食障害、等々、この目的論と全体論的な視点で見た時、紐解けることがしばしばあります。

逆に、メンタルヘルス分野において、この全体論的視点ではなく、部分部分に目を向けた結果、困難ケースになってしまったり、あるいは先ほどの抗うつ薬ではないですが、必要性のないものを処方してかえって悪くなってしまっているケースもあるように思います。医原病と言われるような残念なケースです。木を見て森を見ていないのです。

前に進まないための理由を探す

では、人前で話すのが苦手なあがり症の方を全体論の視点で見てみるとどうなるのでしょうか。

ここまで、あがり症の心理状況について説明してきました。人前に立った時にあがり症の方々が見ている世界は、まるで敵に囲まれているかのような状況にあります。だから警戒するし、キョロキョロオドオドと挙動不審になります。そして実際に敵前であがって失敗してしまうと、本当に斬られたかのように敗北を意味します。そしてそこから逃げ去ろうとします。おめおめとそのままそこに居続けることは、屈辱であり恥さらしだからです。やがて世の中の全ての人が敵であるかのように思えてきて、外に出るのが怖くなってきます。社交場面を回避するようになります。

そうして人と関わることを少なくしていき、会社では最低限度の活動を目立たぬようにします。責任を取るような役職には就かないように努力し、人前で話すような機会は極力避けます。中には仕事が続かずひきこもったり、親に頼りながらいくばくかの収入を得るためだけの短期バイトだけするような人もいます。

けれど、この世界ではやがて必ず要求されます。働くことを、役職につくことを、人前で話すことを。けれど避けたい。どうしたら良いか。ここで必要になってくるのです。前に進まぬ理由が。

前に進まないための理由、それには人前や社交場面には出られないということを他者だけでなく自分に対しても証明し続けることが必要になります。

ちなみに、私が若きあがり症時代に取った方法が、学生という肩書の中に安住することでした。私にはどうしても自分が社会で働く姿が想像できませんでした。真っ白です。一寸先も見えない吹雪のホワイトアウト状態です。しかもそれ以前に、自分が就活情報を集めたり、面接を受けたり、就活に関連して人と話している姿すら全く考えられません。想像するだけで恐怖で震え上がりました。

そうして、両親が非常に厳しい家計の中から渇いた雑巾の水を絞り出すようにして捻出した学費を、それこそ湯水のように垂れ流していたのでした。そして社会に出ないために一年留年し、二年留年する。結果として私は三年留年しました。そしてその状況に居続けることがもはや不可能になった時、社会不安の私が最も恐れる社会という場に無理矢理投げ出されたのです。それは同時に私が後生大事に守ってきた学生という肩書がはぎ取られた瞬間でした。

このように、あがり症の方は前に進まないための理由を陰に陽に探します。ある人は、天職を見つけるんだと言ってニートやフリーターというグレーゾーンに安住します。ある人は、資格を取るんだと言って、難しい資格を繰り返し受けては落ちる永遠のチャレンジャーになります。あるいは自分探しの放浪の旅に出ます。

必要とあらば体調の悪さまで使います。うつ状態が治ってから就職すると言ってうつ状態であり続けます。治ってはいけないのです。治ったら社会という恐怖場面に直面化するから、うつが治らないのではなく治さない。本人も知らない無意識が自分を騙してまで。

人生の脇舞台で可能性の中に生きる人

以前、私が関わっていた対人恐怖症の方がいました。対人恐怖症とは人と関わることを恐れる病のことで、あがり症とは重なる点が非常に多いです。この方はほとんど働いていませんでした。漫画家になりたいと言って、漫画や漫画家についての様々なことを熱く私に語りました。そして、かねてから原稿をずっと書き続けているとのことでした。やがて何らかの賞に応募して、それを皮切りにいくつか漫画を出してそれで食べていきたいと言うのです。あと半年ぐらいで原稿ができると。

半年後、彼は言いました。いろいろあってまだ半分ぐらいしかできていない、けどもう半年あればできるだろうと。そして半年後、彼は言いました。まだできていないと。一年後、彼は言いました。書き直そうかと思っている、もっと勉強してもっと他の漫画を読まなくてはと。久しぶりに会った二年後、彼は言いました。まだだと。

ある日、彼はため息まじりに言いました。なかなかできない、どうしたものだろうと。私は彼がようやく頑なに閉ざしていた心のフタを微かに開けたのではと思い、慎重に話を進めました。いったい何がネックになっているんでしょうねと。彼は言いました。何かを恐れているのかもしれないと。それは何ですか。私は聞きました。彼は言いました。もしかしたら現実を突き付けられるのが怖いのかもと。私はゆっくりと噛みしめるように言いました。……もしかしたら、申し込まないことで、賞を取れるかもしれないという可能性の中に生き続けてきたのではないでしょうかと。彼はしばし絶句し、そうだ、そうかもしれないと答え、押し黙ったのでした。

原稿を応募することは白か黒かの結果を突きつけられます。彼は応募しないことによって、いつか賞を取れるかもしれないという可能性の中に生き続けていたのです。そしてそのための前提として原稿を完成させてはならなかったのです。そうして未完の大作を長年に渡って書き続けていたのでした。永遠なる未完の大作を。

人はもっともらしい理由で自分自身をも欺きます。あがり症の方もそうかもしれません。人前で失敗することを避けるためには、あがり症が重いから挑戦しないという枠組みの中に居続けなければなりません。その時、あがり症の苦しみから逃れたかったのに、あがり症であり続けなければならないというなんとも矛盾した状況に追い込まれます。

それが、前に進まない決断をして可能性の中に逃げ込んだ人の背負う反対給付なのかもしれません。

そして、自分のあがっている姿をさらしてしまう人生のメインステージに上がるのが怖いので、アドラーの弟子、W・B・ウルフが言う所の人生の脇舞台に生きるようになります。けれどここでもまた理由が必要になります。なぜメインステージで堂々とやらないのかと。そしてそれに弁明するかのように、脇舞台にいざるを得ないんだと、そこでもっともらしく必死に生きるようになります。脇舞台でサボっていると怒られるからです。何やってるんだと軽蔑されるからです。

かつて関わった方で長年ひきこもっていた対人恐怖症の女性がいました。やがて、ようやくひきこもりから脱出して週一回の清掃の仕事を始めました。その方は外に出たり人と向かい合うと顔だけ背けるように斜めになりました。歩いているのにずっと顔が斜めを向いているのです。清掃も大変です。斜めを向いている方向が掃除する方向ならいいのですが、反対側だと身体の向きを不自然な感じでクルクル変えなければなりません。指示する人の話を聞くときも大変です。斜めに向いている首を真正面に向けなければならないのですから、首が疲れます。わずか二時間の仕事を終えた時には首がつりそうになります。

この体が斜めになってしまうことも全体論の視点から考えた場合、なんとなく見えてきます。体は自分という全体の一部です。身体だけ捉えたら神経系がおかしいのかなとか、筋肉がおかしいのかなといった発想になるのかもしれませんが、身体を自分という全体の一表現と考えた場合、彼女はこの世界や他者と向き合いたくなかったのです。対人恐怖症であり、対人回避症とでも言うべきものだったのかもしれません。実際に彼女の身体の向きはどの医者に行っても原因不明で診断名が付きませんでした。

そして彼女は、その二時間の仕事がいかに大変で、それを続けるために働いている日以外の六日間をいかに努力して体調を整えているのか、訴えるように話されます。そういえば、ひきこもっている時の対人恐怖症との闘いの日々の説明も同じように話されていました。

先ほどのウルフは言っています。「神経症者は常に世界中で一番働き者である」（『どうすれば幸福になれるか（下）』p86）と。ちなみに神経症とは、あがり症など心を原因とするような心身の障害です。ウルフはこんなことも言っています。

「足を骨折した人は歩けなくても言い訳をする必要はないが、世の中の人が皆、足で歩いているのに竹馬に乗って歩こうとする人は、一生のほとんどを言い訳したり説明したりして過ごさなければならない」（『どうすれば幸福になれるか（下）』p89）

想像してみて欲しいのです。世の中の人が皆、働いていたり、学校に行っていたり、遊んでいたりする中で、もし自分がひきこもっていたらどんな心境でしょうか。はたしてホッとするのか、怠けて得した気持ちになるのか。

少なくともその方は、ひきこもり中に楽をしてはいけませんでした。のんびりしてはいけませんでした。そして他者に外に出ない理由を弁明しなくてはいけません。言葉で言えないのなら、身体で、症状で、表情で。私はひきこもらざるを得ない状態なんですと。

その方は、対人恐怖にとっての最大の安全の場であるひきこもりの中に逃げ込んだ代わりに、その人生の脇舞台で、重度の対人恐怖と戦っている自分というキャラクターを維持し続けなければならなかったのです。本人も知らずして。

では次に、そのキャラクターが一体どのようなものなのかを詳しく述べていきます。

ライフスタイルと自己決定性——人生の楽譜に埋め込まれたメロディ

それではここからは、そもそも人前で話すことが苦手なあがり症の人は一体どんな性格傾向を持っているのか、それについてアドラー心理学の視点から詳しく解説していきます。

認知論のところでお話しましたが、そもそもこの世界で起こる出来事、私たちが経験することそのものには意味はありません。私たちが、出来事や経験を自分なりのものの見方で意味づけて、そしてそれをもとに私たちは自分の行動を決定しているのです。

たとえば、昇進したという出来事を例に挙げてみましょう。ある人にとっては自分が認められたと思う人もいるでしょう。そしてこれで給料が上がるという風に考えて喜ぶ人もいます。あるいは権力争いで勝ったと誇らしくなる人もいるでしょう。あるいは責任を押し付けられるから面倒くさいなと思う人もいるでしょう。あがり症の人にとっては人前で話す機会が増えるという恐れる事態になるかもしれません。そうすると、それぞれのものの見方に沿って行動も変わってきます。ある人は、家族に昇進したと喜んで報告する人もいるでしょう。ある人はこれまでのライバルや同僚に対して威張る人もいるでしょう。またある人は自分が負うべき責任を誰かに押し付けようとする人もいるでしょう。あがり症の方はスピーチの練習をするかもしれません。

こうしてたった一つの昇進したという出来事だけで、こんなにも様々な見方をしてこんなにも様々な行動につながります。そして私たちが生きていく上で、生老病死に関わる様々な出来事が起こります。それに対してどう意味付けて、どう行動し、そして何を求めて生きていくのか。この生き方のパターンのおおもととなる信念の体系を総称したものがライフスタイルです。

では、ライフスタイルはいつ出来上がるのでしょうか。アドラー自身はライフスタイルの形成時期を四、五才と言っていますが、現代アドラー心理学では遅くとも一〇才ぐらいまでにはライフスタイルが出来上がるという見解です。私自身、これまで多くの人のライフスタイル診断を行ってきましたが、その実感から言えば、四、五才かどうかは分かりませんが、アドラーの言うように本当に幼少期で根本部分は決まってしまっているような印象を受けます。もちろん、その後の人生においてその方にとって大きな出来事が起こればライフスタイルは変わり得るでしょうし、また、ライフスタイル診断やカウンセリング等を通してライフスタイルを改善していくことをサポートすることもあります。

では、このライフスタイルがどのように形成されるかというと、幼少期にあった出来事に対して、子供は何らかの意味づけをしてそれをもとに行動します。うまくいけばそのパターンを持続するでしょうし、うまくいかなければ違うパターンを試してみるかもしれません。

例を上げましょう。第一子はたいてい最初は両親から無条件の愛情を得ることができます。ところが下に弟や妹が生まれると、かつてと同じような自分だけへの愛というわけにはいきません。自分に注がれていた愛の量や質が、本人の主観においては減っていきます。あれおかしいな、となります。そこで、いい子でいることでこれまでと同じような愛情を得ようとする子もいるかもしれませんし、たまたま水をこぼした時に弟や妹の面倒を見ていたお母さんがこっちにやって来て、何してるの、もうしょうがないわねといった感じで自分に接してくれた時、たとえそれが怒られたことであったとしても子供にとってはお母さんが自分を構ってくれたという報酬になります。そこで子供は学習します。水をこぼせばお母さんは来てくれる、あるいは自分が失敗すればお母さんが注目してくれると。

あくまでたとえとしてお話しましたが、こういった出来事というものが幼少期に無数に起こります。それらの出来事に対し、どう判断しどう行動したかの蓄積、すなわちデータベースをもとに自分なりのライフスタイルを模索し、形成していきます。また、それが自分やこの世界への信念として確固としたものになっていきます。そして、ライフスタイル形成に大きな影響を与えるのが器官劣等性と劣等感です。

前述のアドラー心理学の理論のところで既に説明しましたが、改めて確認しておきたいと思います。

まず器官劣等性ですが、これはシンプルに言えば何らかの客観的なハンディキャップのことを言います。体が弱かったり、耳が聞こえづらかったり、読み書きに障害を持っていたりといったような。

次に劣等感ですが、主観的に自分が劣っていると感じることです。客観的に見てどんなに優れていても自分自身が劣っていると感じればそれが劣等感になります。前に述べた、ベテラン管理職が新入社員がハキハキ喋ってるのを見て落ち込んだのは、まさに劣等感の典型です。

人は劣等性や劣等感を抱えるとそれをなんとかしようとします。体が弱い人は鍛えるかもしれないし、勉強で頑張るかもしれない。耳が聞こえづらい人はより多くの情報を集めようと視覚が優れた人になるかもしれません。あるいは読み書きが苦手な人、たとえばハリウッド俳優のトム・クルーズは学習障害的な傾向があり、脚本を覚えるためにテープで録音して覚えているようです。

そして、これら劣等性や劣等感、家族環境等に対して、どう捉え、どう対処してきたかのその人なりの自己決定のパターンがそれぞれのライフスタイルとなっていくのです。そしてその決定には前向きな決定もあれば、困難から逃れるような決定もあります。そういう意味で言えば、人はこの世界のあらゆる出来事に対して、自らのあり方を自ら選んで決めていると言ってもいいのかもしれません。たとえそれが生き辛さにつながる決定だったとしても。

ちなみに、ライフスタイルの言葉の意味についてはアドラーはもちろん、様々な人が言っていますが、印象に残るものとしてアドラーの弟子のドライカースが言っている言葉をご紹介します。

「ライフスタイルは、音楽作品における特徴あるテーマになぞらえることができます。ライフスタイルは、私たちの人生に繰り返し現れるリズムを運びます」（『アドラー心理学の基礎』p80）

私は様々な人のライフスタイルを見てきて本当にそう思います。人それぞれいろいろなリズムがあります。メロディと言い換えてもいいかもしれません。メロディは決して単調ではありません。人生では紆余曲折は付き物です。時に悲哀じみた切ない旋律を奏でることもあります。時に何か恐怖を感じるようなメロディもあれば、寂しさを感じるようなメロディもあります。けれど、よくよく聞いていると、それらの曲にはいつも何か似たメロディのパターンがあることに気付きます。そしてそれが、曲の随所で音は違ってはいるけれども似た響きを繰り返し奏でます。

人生もそうなのかもしれません。私たちがなんとなく分かっているようで分かっていない自分自身も、もしかしたら似たようなことを人生で繰り返してきたのかもしれません。そして、人の人生のメロディ、ライフスタイルには必ず起承転結があります。

私は思うのです。人は幼少期のあの日あの時、辛かったこと、悲しかったこと、寂しかったことを原動力に、それを乗り越えようと生きてきたのではないかと。辛さを楽しさに、悲しみを喜びに、寂しさをつながりに、そして弱さを勇気へと。あらゆる人にあらゆる生きる物語があるのです。

では、人前で話すことが苦手なあがり症の方は一体どのようなライフスタイルを持っているのでしょうか。ここで、ちょっとアドラー心理学のライフスタイルのタイプ診断のチェックテストをご紹介します。ちなみに、ここでご紹介するのは分かりやすくするための類型であって、ライフスタイルとは一〇人いれば一〇人の、一〇〇人いれば一〇〇人のライフスタイルがあることをあらかじめお断りしておきます。

ライフスタイルタイプ別簡易診断

	項目	○△×	点数	
1	お金があれば、ほとんどの望みはかなうと思う			G
2	何かあった時は誰かが助けてくれることを期待する			B
3	対人関係で、他者に対して強く言ってしまったり、支配的になることが多い			D
4	失敗してはならないという思いが強い			C
5	自分はしばしば無実の犠牲者だと思う			V
6	いろいろなことをやってみるが長続きしない			E
7	交友範囲は自分にとって役に立つかどうかで選びがちだ			G
8	悩んだ時は人に決めてもらいがちだ			B
9	やりたいことをどんどん追及していくところがある			D
10	あまり感情を出さないほうだ			C
11	この世で自分ほどついてない人間はいないのではないかと思うことがある			V
12	楽しい事や興奮することが好きだ			E
13	どうしても損得勘定で考えがちだ			G
14	自分が先頭に立って何かをするときは不安で仕方がない			B
15	成功するために努力を惜しまない			D
16	臨機応変さを求められることが苦手だ			C
17	よく人に責められることが多い			V
18	何事もない日常よりも、非常事態などの方がテンションが上がる			E
19	人が自分のために奉仕してくれることに違和感はない			G
20	自分は弱い人間なので誰かをついあてにしてしまう			B
21	他者より優れていたいという思いが強い			D
22	完璧主義だ			C

23	あまり人生で良い事は起こらないと思う			V
24	イベントや人の集まりでハメを外してしまうことがある			E
25	人が自分の期待に応えてくれないと腹が立つ			G
26	人に守ってもらいたいという思いが強い			B
27	自分は有能だと思うが時々空虚感に襲われることがある			D
28	約束や時間は何があっても守るべきものと思う			C
29	他者は不当だという思いが強い			V
30	規則に縛られると息苦しくて仕方がない			E

※ヒューマン・ギルドの許可を得て
ヒューマン・ギルド出版部発行
ELM（Encouraging Leaders' Manual）をもとに改変

○＝２点、△＝１点、×＝０点で右側に記入してください右記表の右側の各項目（G、B、D、C、V、E）の総得点を左記に記入してください。最も高い点数があなたの性格傾向で強いものを示しています。また、それぞれの項目の点数の高低もその程度を示しています。

▼Gの総点数……………ゲッター
▼Bの総点数……………ベイビー
▼Dの総点数……………ドライバー
▼Cの総点数……………コントローラー
▼Vの総点数……………ヴィクティム
▼Eの総点数……………エキサイトメントシーカー

ライフスタイル簡易診断結果

ゲッター……なるべく利を得ようという性格特性を持ちます。他者は自分にしてくれることが当然と思い、それがかなわぬと不満に思います。時に他者を攻撃します。怒ったり、魅力的に振る舞ったり、必要以上におしとやかにしたりなど、感情を使って相手をコントロールしようとします。過剰なまでに甘やかされた子どもにありがちなライフスタイルです。組織などで味方であれば心強いですが、敵にしたり交渉相手だと手強いです。

ベイビー……他者に依存的になりがちな性格特性です。ゲッターと似ていますが、ゲッターは人がしてくれないと不満に思うのに対し、ベイビーは弱さを使って人がしてくれるように願います。世界に対して危険だという認識を持ち、なので守ってほしいと考えます。末子にしばしば見られ、魅力やかわいらしさを自然に使う所があります。甘え上手で人たらしだったりもします。人を信頼し頼る力がありますが、行き過ぎると依存的になります。

ドライバー……自分の人生ハンドルを自分で握っていたいと考え、より良くあるために前に進みます。人生で何事かを達成しようとする人に多いです。自分は優越でなければならないとして人に優れようとします。とにかく能動的で、暇や無意味さを嫌います。他者に対して支配がちになり時にプレッシャーを与えます。第一子に多く見られ、権力や力と言うものに敏感でリーダータイプに多いです。

コントローラー……完璧主義的傾向が強い人です。自分の感情を抑え、抑制的に振る舞います。責任感が強く失敗しないようにとやや保守的になりがちです。世界は危険だといったような見方を持つ傾向があります。他者からよく見られたく思い、さらには悪く思われたくないとして自分らしさを失うこともあります。時間やルールを守り、変化への対応が苦手なところもありがちです。

ヴィクティム……自分は無実の犠牲者という感覚があります。他者は私を攻撃する、自分はこの世で最も不幸な人間としてこの世界を見ます。他者に対して過度に劣等感を持ち、時に羨望や嫉妬の感情を抱きます。あまり見られない類型で、人生のうまくいってない時や、人生でうまくいかないことが多い人に見られます。

エキサイトメントシーカー……興奮と刺激を求めるタイプの人です。単調で平凡な毎日を嫌います。常に行動し変化を求めます。旅行好きであったり、お祭りやイベントを好みます。ワクワクしたり興奮している時にだけ満足感が得られがちなため時に虚しくなってしまうこともあります。幼少期にケガをしたことが多いこともしばしばあります。活発さが健全な方向性に向くか不健全さに向くかで大きく違ってきます。

いかがだったでしょうか。ちなみに人前で話すのが苦手なあがり症の方の場合、コントローラーの点数が高い傾向があります。コントローラーとは文字通りコントロールしようとする人のことを言います。その対象は様々なことに対してですが、あがり症の方の場合は緊張と不安をコントロールしようとします。それもある種当然といえば当然なことで、緊張と不安を抱えている状態が辛いからです。それをなんとか取り除こうとします。あるいは抑え込もうとしたりします。ところが、コントロールしようと思えば思うほど、すればするほど、益々コントロール不能になっていきます。

そして、自分がどう見られているかを気にするあがり症の方は、見た目もコントロールしようとします。緊張しているのに緊張していないフリ、ドキドキしているのに冷静なフリ、ビクビクしているのに落ち着いているフリ。

そしてそれは他者に対しても同様です。人によく思われたい、人に否定されたくないと、まるで人の気持ちまでコントロールしようとするようなあり方です。そうして自分が自分じゃないような生き方をしていると、何だか他人事のように生きている実感が持てず、当然自信もなくしていきます。そんなことだと何かをする度に不安が増していきます。やがて何かにつけためらうようになります。

前に進む勇気がなくなっていきます。本来の特性であるコントロールすることが健全な方向に行けばそれこそ有益なものを、その特性が自らに刃を向いてしまったのがあがり症の悲劇なのかもしれません。

では次に、アドラー心理学の根幹とも言える、勇気と共同体感覚について解説していきます。

勇気と共同体感覚――幸せになるための車の両輪

では、ここからはアドラー心理学の重要な概念である勇気づけと共同体感覚ついて解説していきます。

人は一人では生きられません。必ず自分以外の他者の存在が必要です。そして人と人とが関わっていく中で何かしらの繋がりができ、やがてそれが小なり大なりの共同体を形成していきます。友達、家族、学校、会社、等々。そしてその共同体でどんな感覚でいられるか、すなわちその共同体が自分にとって居心地の良い場かどうかは誰にとっても重要なことでしょう。そしてそのためには良い人間関係が欠かせません。

その共同体に入ってみたらライオンと狼みたいな凶暴な人しかいなかったとなれば、夜もオチオチ眠れません。また、ナマケモノ三人衆みたいな人だけだったら、自分だけ損している気持ちになるでしょう。キツネとタヌキの集団だったら化かし合いになるかもしれません。あるいは周りがどれだけ善良な人々だったとしても、自分が独裁者のように振る舞ったり他者と交流することを拒絶すれば他者の気持ちが離れていき、共同体の存続すら危うくなります。

こうして考えてみると、より良い共同体感覚には、「アイムオーケー」、「ユーアーオーケー」、「ウィーアーオーケー」という関係が保たれていることが欠かせません。

言い換えるなら、「私は私でいい」という自己受容、「他者は仲間だ」という他者信頼、「私はここにいていい」という所属感、そして、「私は役に立っている」という貢献感、これらの質や程度が、より良い共同体感覚を持てるかどうかを左右するに違いありません。

そして、「I」と「YOU」と「WE」とを繋ぐ線、すなわち繋がりを維持するための必須条件が「協力」です。この協力によって様々な人と紡いだ糸がやがて網となり、たとえ人生で避けられぬ困難が起こったとしてもその人を救う人生のセーフティネットになるに違いありません。

生老病死と言います。愛別離苦と言います。人生で困難は避けられません。その時自らを支えるものは、お金でも薬でも強靭な精神力でもなく、共同体感覚の網の目にこそあるのではないでしょうか。

そして、自分が所属する共同体が限定されている人ほど、そこでうまくいかない時は大きなリスクになります。学校以外の世界を想像すらできない子供がイジメられた時、それは自己の存続をも脅かすことになるかもしれません。あるいは、仕事人間として猛烈に生きてきた人が会社を辞めた時、家庭の中にも地域の中にも自分の居場所がなく自分の存在価値を見失ってしまうかもしれません。

そして、共同体感覚が著しく低い人の例として、一つには犯罪者が挙げられるでしょう。彼らは他者との繋がりの糸を断ち切ります。そしてもう一つが、自殺を考えている人です。私はそういった方々とカウンセリングや相談をしてきた中で、彼ら彼女らの共同体感覚の糸があまりに細く、あまりに少ない印象を受けます。いつ切れるとも知れないたった一本の繋がりの糸が、その危うき生を支えているように思える時もしばしばあります。

あがり症の方も悩んでいればいるほど共同体感覚が低い傾向があります。目の前の聴衆を恐れるがあまりに繋がりが切れてしまいそうです。切れたその時、人影のない奈落の底に落ちてしまうような。

あるいは繋がっているのではなく自分と聴衆との間に目に見えないガラスの壁があるかのように決して行き交うことがありません。体も、心も。手を伸ばせばそこにいるのに届かない。その姿はあたかも鏡の向こうの世界に暮らす、心通じることのない無表情の住人のようです。

私があがり症が最もひどかった三〇才前後の頃、ほぼこんな心象風景と似たような世界に生きていました。三六五日二四時間体制で社会から隔離されたような職場だったため、外の世界の人と出会うこともまずありませんでしたし、また、その狭い世界の中で出会うわずかな人たちにもまた、対人恐怖症という壁を作り完全に孤立していました。

ある意味、あがり症に限らずどんな悩みであっても、生き辛さを抱えているほどに人は人と繋がっていないのかもしれません。

アドラーは言います。

「一番最初から共同体感覚を理解することが必要である。なぜなら、共同体感覚は、われわれの教育や治療の中のもっとも重要な部分だからである。勇気があり、自信があり、リラックスしている人だけが、人生の有利な面からだけでなく、困難からも益を受けることができる。そのような人は、決して恐れたりしない。困難があることは知っているが、それを克服できることも知っており、全て例外なく対人関係の問題である人生のあらゆる問題に対して準備ができているからである」(『個人心理学講義』p16)

当時の私は、ここに書かれている状態とまさに正反対でした。勇気がなく逃げ続け、自信がなく怯え続け、リラックスという言葉は私の辞書にないほどに寝ている時間以外はずっと緊張していました。この世界は困難だらけで、人生のあらゆる問題に全く準備できていませんでした。

このような状態になると前に進むことが怖くなります。今にして思えば何それと思うような程度のちょっとした困難でさえ高い壁のように感じます。例を上げればキリがないですが、人前で話すという最大の難関は当然のことながら、一対一でお客さんに話すことすら苦しい、電話を取って喋るのが怖い、人の目が見れない、床屋に行くことが苦しい、人と一緒に食事すると緊張する、友達の結婚式に出ることがつらい、等々。そうして、そういった場を恐れ、なるべく避けるようになります。そして段々と自分が生きる世界が狭くなっていきます。

人と繋がっていないとこんなにも勇気が出なくなっていきます。

以前、私が話し方教室に通っていた時に印象的なことがありました。当時仲良く関わらせて頂いた方がある時言いました。「いやー、先週、人前で話す機会があったんですけど、佐藤さんと〇〇さんの顔を思い浮かべて頑張りましたよ」とにこやかに話され、無事その場を終えることができたとのことでした。

また、以前に相談に来られた方で、人前で話すのが辛くてたまらないという介護職の女性がいました。たまたま他の人より長くいただけで責任ある立場になってしまい、朝のミーティングで司会進行しなければならない。どうしたものかと。相談に乗っていく中で、ある日先生どうしたらいいんでしょうと真っ青な顔をして来られました。私がどうしたのか問うと、なんと高校時代の親友の結婚式で友人代表スピーチを頼まれたとのこと。逃げたいし断りたい……けど、真剣な顔をして頼まれて、確かに私が二人と一番親しくて適任であるのはその通りだと思う……けど……。やがて、葛藤の末に彼女はスピーチをする決意をしました。私は彼女に聞きました。

その二人と親しいんですね？――はい。
結婚を喜んでいる？――はい。
祝福したい？――はい。

私は彼女の気持ちを確かめた上で言いました。おそらく間違いなくあがるでしょう。声も震えるかもしれません。手も震えるかもしれません。けれど、それはもうどうしようもないから、たとえ緊張しても、たとえ声が震えても、たとえ顔が真っ赤になってしまったとしても、二人のために、二人の方を向いて、心を込めて、おめでとうと言う気持ちを言葉に込めて、震えるままに思いを届けてください。

数週間後、私のもとにメールが届きました。ざっと以下の内容でした。

お陰様でなんとか終えることができました。確かに緊張して声も震えてしまったけれど、二人が感動して泣いていました。私も緊張したけどそれ以上に二人に思いを届けられて本当に挑戦して良かったです。ありがとうございました。

人前で話すのが苦手なあがり症の方にとって、結婚式のスピーチは最大レベルの難関です。そして、彼女のあがり症のレベルはなかなか大変な状況でした。普通、それぐらい重いあがり症の方は逃げます。何とかしてそれを回避しようとします。けれど、彼女は逃げませんでした。彼女は親友との繋がりを勇気に変えたのです。

そうです、繋がりが勇気になるのです。勇気があればチャレンジできます。勇気があれば人と繋がる場に飛び込めます。繋がりは勇気に、勇気は挑戦に、挑戦が更に繋がりへと促す。つまり、共同体感覚と勇気はセットなのです。人が人と繋がり、より良い人生を生きるための車の両輪なのです。

ここまで、アドラー心理学の基本的な理論と人前が苦手なあがり症との関連性を解説してきました。次の章からは、人前で話すのが苦手な人が、なぜどんどん悪化していくのか、そして、なぜ治りづらいのかをアドラー心理学と絡めて解説していきます。

アドラー心理学のまとめ

原因論と目的論の要点

●原因論の視点を人の心や行動に向けた時どんなことでもネタにして責めることができる
●原因論は悪者探しになる
●目的論で考えると一つの目標に向かって行く一体感や協力関係が築ける
●目的論は悪者探しにならない
●あがり症とはあがることに意識を過剰に向け続けることによる悪循環の病
●あがり症の原因を探しても解説にはなっても解決は難しい

対人関係論の要点

●あらゆる人の悩みは対人関係の悩み
●痛みや苦しみに対人関係という要素が加わった時、人間特有の悩みが生じる
●どもり（吃音）はそれを悪化させるかどうかは、発語の問題でも、口や舌の問題でも、口下手の問題でもなく、対人関係上の問題
●どもり（吃音）は、対人関係の課題であり、協力の課題でもある

認知論の要点

●私たちは、経験そのものを自分の見方で意味づけて、その意味づけをもとに自らの行動を決定している
●経験それ自体は無色透明
●一〇人いれば一〇人の、一〇〇人いれば一〇〇人の真実がある。この世界は虚構（フィクション）の世界
●あがり症の人は敵国の中に住んでいて、いつも危険にさらされているかのように、過度に緊張している
●あがり症の人は、否定されている自分とダメな自分の証拠探しを徹底的にする
●あがり症の人が捉えた自分の真実と世の真実とは異なる

全体論の要点

●人は目的のために全てを使う
●思考も、幻聴も、無意識も、夢も、身体も、葛藤も、部分で見たら理解不能でも目的から考えたら何ら矛盾していない
●あがり症の方は前に進まないための理由を陰に陽に探す

●現実に直面しない人は、いつかうまくいくかもしれないという可能性の中に生き続ける
●あがり症などの神経症者は世界中で一番の働き者である
●対人恐怖はひきこもりの中に逃げ込んだ代わりに、その人生の脇舞台で、重度の対人恐怖と戦っている自分というキャラクターを維持し続けなければならない

ライフスタイルと自己決定性の要点
●生き方のパターンのおおもととなる信念の体系を総称したものがライフスタイル
●ライフスタイルの形成時期はアドラー自身は四、五才、現代アドラー心理学では遅くとも一〇才ぐらいまでに出来上がるという認識
●劣等性とは、何らかの客観的なハンディキャップのこと。体が弱かったり、耳が聞こえづらかったり、読み書きに障害を持っていること
●劣等感とは、主観的に自分が劣っていると感じること
●劣等性や劣等感、家族環境等に対して、どう捉え、どう対処してきたかのその人なりの自己決定のパターンがそれぞれのライフスタイルとなっていく
●ライフスタイルは音楽の主題にたとえることができる。人生に繰り返し現れるメロディ
●あがり症の方は緊張と不安と他者の気持ちをコントロールしようとしてコントロール不能になる

勇気と共同体感覚の要点

●より良い共同体感覚には、「私は私でいい」という自己受容、「他者は仲間だ」という他者信頼、「私はここにいていい」という所属感、そして、「私は役に立っている」という貢献感が大切
●繋がりを維持するための必須条件が協力
●協力によって人との間に紡いだ糸がやがて網となり、困難が起こったとしてもその人を救う人生のセーフティネットになる
●共同体感覚が著しく低い人の例が犯罪者と自殺を考えている人。あがり症の方も悩んでいればいるほど共同体感覚が低い
●共同体感覚は、教育や治療の中のもっとも重要な部分
●繋がりは勇気へ、勇気は繋がりへと促す。勇気と共同体感覚はセット

第三章　人前であがってしまう人がハマっていく仕組み

不安と恐怖には目的がある

人前で話すのが苦手なあがり症の方の中には、例えば会社のプレゼンや朝礼スピーチなどで急にあがってしまってあがり症になる方もいますが、多いのは何年も悩み続ける方です。二年三年は当たり前、五年一〇年はもしかしたら短い方かもしれません。中には物心付いた時からずっとという人もいれば、二〇年三〇年とずっと悩み続けている方もいます。

かといって決して何もしなかったわけではなく、その人なりに人前でうまく話せるようにと様々な努力を重ねてきた上でのそれです。

あがり症は放置しておけば治る病ではありません。人前に立つ機会が少ない時期は潜伏します。本人も忘れます。けれど、ある日ある時、忘れていた過去の亡霊が甦るかのように再び現れます。

では放置せず治療すればいいのかというと決してそうとも言えず、治そうとすればするほどかえってこじれる努力逆転の厄介な病でもあります。

そこにはある誤解があります。そもそも、あがり症の方が最も求める、不安をなくしたい、緊張をなくしたい、震えないようになりたい、一言で言えばあがらないようになりたいという望みはかなうのでしょうか。

おそらくはその問いに、はい、かないますと言える人は、そうはいないのではないでしょうか。人として本能的に自然発生する感情を自由に出し入れできるのではないか、コントロールできるのではないか、その発想そのものがあがり症をこじらせてしまうのです。つまり、不可能を可能にしようという思考と、自然発生する感情との摩擦があがり症の正体です。

そう考えるならば、この「思考」と「感情」という本質的に異なるものに対して、いかにアプローチしていくかが大切になりますが、それは後の章に譲りましょう。

では、そもそもこの思考と感情がどうして生じるのかですが、まず、あがり症の方が一番多く体験する感情が不安と恐怖です。不安とはどうなるのか分からない不確かな未来への感情です。一方、恐怖とはリアリティーのある今この瞬間の感情です。例えて言うなら、不安とは大海原で船から投げ出された時、サメが現れるのではないかとビクビクしている状態です。一方、恐怖とは、サメの背びれが見えた瞬間に体に戦慄が走るほどの状態です。

アドラー心理学では感情には目的があると考えます。では、この場合の不安と恐怖という感情の目的は何でしょうか。

不安について言えば、いつサメが現れるかもしれないから、「気を付けろ！備えろ！」と注意喚起することが目的であり、恐怖の場合はその場での対応を迫るものです。「どうする⁉逃げる？闘う？じっとしてる？」といったような。そうして、不安と恐怖という感情は、危機から逃れるための行動を促します。交感神経を活性化し、呼吸の回数を増やし心臓の脈拍を高めて、全身に酸素を行き渡らせて、緊急事態に即応できる態勢を整えます。

もし、これらの感情が発動しなかったらいったいどうなるのでしょう。もしかしたら、のんびり海の中で泳いだり漂っているうちにサメに食われるだけかもしれません。そう考えるならば、感情とは人間にとって身を守るための必要不可欠なものと言えるのではないでしょうか。ただ、あがり症の方はこの不可欠な感情に大きく振り回されてしまいます。いつもサメの幻影に追われるような状態になります。ひどい時には毎日毎時その影に怯えるようになります。

では、サメの幻影に怯えてしまう感情を生み出すおおもとの思考とは何かというと、これがこれまでに述べてきた「敵探し」にあります。

人前に立った時、「他者は敵だ」、「他者は私を否定する」という思考が知らずして発動し、聴衆の中にその証拠探しをします。そして本人の思い込みに過ぎない主観的現実、すなわち推測が事実となり、敵に対して対応するために不安と恐怖を発動させて身構えるようになるのです。この他者を敵視してしまう心のあり方は実は結構根深いもので、他者がそんなことないよ、誰もあなたのこと否定してないよ、みんなが味方なんだよと言った所で、頭で仮に理解したとしても感情はそれを受け入れません。頭の理解と腹落ちして理解することとは似て非なるものです。

他者からしてみれば異様なほどの不安や恐怖心も、本人の主観的VR（ヴァーチャル・リアリティ）に映る敵国の景色からしたら、ある種当然のことなのです。そうなると、人前で話すことはリスクでしかありません。わざわざ敵の前に無防備な姿を晒しに行くようなものなのですから。一言で言えば、誰がおめおめと斬られに行くものかといった所です。ではどうするか。

劣等コンプレックスで逃げて優越コンプレックスで演じる

敵国の中に住む、人前で話すことを恐れる異国人は、そうは言っても他に行く国がありません。人前で話す機会がない夢の国に住めたらいいのですが、人が人として生きる以上人と話すことは避けられず、人前で話す機会もまた、いつかどこかで必ずやってきます。

主婦として人前で話さないように生きてきて、子育てに専念していたのにいきなりやってくるPTA問題。あるいは、なるべく人と話さないようにと研究職、SE（システムエンジニア）、事務職といった仕事を選んで、穏やかに生きていたのに突如やってくる昇進問題。人前で話さないこと、ただそれだけを望む人を決して見逃さずに捕まえて離さない人生の課題。その時脳裏に浮かぶ心象風景は、まさに大海原で投げ出された時に迫ってくるサメの背びれです。瞬間、自らに問います。「どうする⁉逃げる？闘う？じっとしてる？」

この時、彼ら彼女らの多くが選択するものが「逃げる」、アドラー心理学で言うところの劣等コンプレックスです。劣等コンプレックスとは劣等感が行き過ぎたあまりに人生の課題を回避しようとするものです。適度な劣等感は努力や成長の原動力となりますが、あまりに劣等感が行き過ぎると努力しても工夫しても何をやっても無駄と感じてしまい、劣等コンプレックスを発動して逃げるのです。人前で話すリスクのある場から徹底的に身を隠します。

そして、この時身体からにじみ出るものがためらいの態度です。アドラーは彼らをあたかも深淵の前に立っているようだと言いました。一歩前に踏み出せばそこは、奈落の底へと落ちる深い崖です。だから、前に踏み出すことをためらい、後ろへと引っ張ろうとする、その感情が劣等コンプレックスなのです。

そして、この時、口に付く言葉が「はい、でも」という一式の言葉です。人前で話すことが苦手なあがり症者にはプライドが高い人が多いので、みっともない逃げ方を人前で晒すわけにはいきません。前に進みたいんだけど致し方ないんだよといった風情で、さももっともらしく退却しなければなりません。

全体論の項で、人は目的のためにありとあらゆる手段を使ってかなえようとすると解説しましたが、それは退却する時も同様です。ありとあらゆる手段を使って退却します。自分には無理だとか、治ったらやるつもりだとか言い聞かせたり、耐えがたいほどの不安に襲われたり、急にお腹が痛くなったり、恐ろしい夢を見たり、退却するための手段を選びません。

それはまるで、顔を前方に向け、本当は前に進みたいんだけどねと弁明しながら、両足は後ろを向いて逃げていくようなものです。

そして一旦、回避なり退却なりの習慣が身に付いていくと次第に止められなくなります。なぜなら人はリスクを冒したくないからです。安全な場所にいる方が楽だからです。人前で話さなければならない時に、どうしようどうしようとオロオロとしながら、何か言い訳が見つかってそれを回避できた時ホッとします。ではずっと安全な場所に居続ければいいじゃないと思うかもしれませんが、こういった方々はそうはいきません。本当は前に進みたいのです。本当はより良い自分でありたいのです。なのに、それができずに退却してしまう自分を恥じて後悔し、やがて自己肯定感を失っていきます。自己肯定感を失えば勇気がなくなります。勇気がないと、益々挑戦ができなくなります。そうして悪循環の輪の上を後悔と恥という重荷を背負って逃げ続けていきます。

ところが、人生とは逃げる人には鞭打つように厳しいもののようで、こんなに逃げているのにどうしても捕まえられて、人前に突き出されることがあります。

「来週から朝礼で三分スピーチをやります」
「卒論の発表をしてください」
「今度の会で挨拶をしてください」

そうして、まるで刑場に引きずり出された囚人のように、恐る恐る人前に歩を進めます。逃げ場はありません。そうして敵だらけで埋まった観客席が自分を取り囲みます。ゴクッと唾を飲み込んで声を発するその時、内面の極度の緊張とは裏腹に、外見は緊張を必死にひた隠しにします。緊張している様子を見せればやられるからです。たとえ見せかけでもいいから、冷静な様子を演じます。緊張してないフリ、震えてないフリ、全然あがってなんかいないフリをして平然とした顔を装います。必死に爪先立ちして大人の仲間入りしようとする子供のように。

そんな爪先立ちする心を占めるもの、それが優越コンプレックスと呼ばれるもので、劣等感を偽りの優越感で埋め合わせます。自分が人より劣っている事実が明るみに出ないために、健全な努力をせずに、手っ取り早く「フリ」をして見せかけの優越の地位を維持しようとするのです。

人前を恐れる人は、劣等コンプレックスを使って逃げて、優越コンプレックスを使って演じるのです。全ての目的は一点、自分には価値がないということを白日の下に晒さないために。

人生の空白を埋めた書痙

「自分には価値がないということを白日の下に晒さないために」

人前を恐れるあがり症の方が、言葉にはできないけど心の中にあり続けるテーマがまさにこれです。だから白日の下に晒されなければ見せかけでも何でもいいのです。

私が話し方教室に通っていた時、私を含めてこのあり方の人が多かったです。中身なんてあまり気にすることなく、聞き手に伝わったかどうかよりも、大事なことはあがらないで喋れたかどうか、震えないで喋れたかどうか、それで自らを評価します。それが自分の価値を決めると信じきっています。誇張でもなくそれが人生の全てと言ってもおかしくないぐらいです。

こう言っては失礼かもしれませんが、話し方教室でよくありがちな時事ネタについてのスピーチで、聴衆の心に何ら響かなかったとしても、スラスラ喋ることができたら本人にとっては成功なのです。

あがり症の方は本当に大切なことを見失います。そうして本質から外れ、幻想の世界に生き、幻想の世界で悩み続けます。幻想の世界とは、人前であがったかどうか震えたかどうかが人生の成功を左右する世界です。しかし、幻想の世界には正解も不正解もありません。見るもの考えるもの全てが誤りです。幻想の世界に生きる方々は皆一様に言います。

「あがらない方法を教えてください」
「あがらなくなる魔法の薬をください」
「震えを止める方法を教えてください」

そうして、あがらないように震えないようにと、あがらないことばかり考えて益々あがって、震えないことばかり考えて益々震え続けるようになります。幻想の世界に生きている限りは、症状と他者の目の奴隷です。そこに本当の自分はいません。そしてその世界に答えはありません。

あれやこれやと悩んだ果てに、あれをしてもしなくても、これをしてもしなくても、それをやってもやらなくても、全てあがらないようにとあがることばかり考えているのですから、あがりの世界に居続けるわけです。

こんな人がいました。定年になって退職し、離婚した。まだ体も元気だし、何か活動しないとと考えて、働き口を探したり地域の活動を調べたりしているが、なかなか見つからない。そんな日々を送っていたある日、役所の窓口で書類に記入していた時に窓口の人にじっと見られて、緊張のあまり書いていた手が震えてしまった。それ以後、人前で字を書くのが怖くなってしまい、そういった場面を避けるようになった。この書痙（手の震え）がなくならないと就職の活動も何もできない。どうしたらいいのかと相談に来られました。よくよく聞いていくと以前にも同じことがあったとのことでした。その時はどんな感じでしたかと聞くと、ちょうど今と似たような状況で、ある会社でリストラにあって就活中に、面接会場の受付で自分の名前を書いている時に、受付の人に見られて緊張して震えてしまった。それからしばらくはずっとそのことで悩んでいたとのこと。

その時はどうやって治ったのですかと聞くと、結局その会社に就職して最初は暇だったものの、次第に毎日が始発、終電の日々になり、忙し過ぎていつの間にか手の震えのことなど忘れてしまっていたとのことでした。

私はピンときました。その方は、退職をし離婚して人との関わりが途絶えてしまいました。毎日何か活動しているわけではありません。就活も毎日はできません。そうして無為に日々を過ごしていく中で、まるで人生の空白を埋めるかのように書痙の悩みで埋めたのでした。以前に悩んでいた時も同様です。そして治る時は、空白を悩みで埋めるのではなく、空白が忙しさで埋まった時、治ったのではなくいつの間にか忘れていたのです。

つまり、悩み続ける幻想の世界の中に生きている時は永遠に悩み続け、その幻想の世界から現実世界に飛び出してあくせく奮闘しているうちに、悩みを忘れてしまったのでした。

こんな方もいました。人前で話すのが大の苦手だった。ありとあらゆる場面を避けて逃げてきた。精神科医にも行ったし、心を落ち着けるためのアロマやセラピー、催眠療法や前世療法などもやった。やれることは全てやったが、結局人前であがるのは治らなかった。けれど、ある時から手の震えがすごい気になるようになった。人前で書く時に震える、人前でハンコを押す時に震える、人と食事をする時に箸を持つ手が震える。この手の震えを何とかしたいと悩み続けているうちに、いつの間にか人前で話すことは全く気にならなくなり、あがらなくなってしまった。あんなに悩んできたのにいったいなんだったんだろうと。

この方は、幻想の世界を、人前で話す時にあがるかどうかという悩みで全て埋めていました。ところがある日から手の震えが気になり出し、今度は手が震えたかどうかの悩みで幻想の世界を全て埋めてしまい、いつの間にか人前で話す時にあがるかどうかの悩みは幻想の世界の外へと追いやられてしまったのです。

いったい、あがり症とは何なのでしょう。医学的な診断名で言えば、社会不安障害、社交不安障害にほぼ該当するかと思います。障害と名が付くと、なかなか治りづらい印象がありますが、あがり症は果たして障害と言えるのでしょうか。ポッカリと人生の空白を埋めるかのようにあがり症となり、別のものがそこに埋まればいらなくなる。

もしかしたら、あがり症とは人生のメインステージを避けて脇舞台に生きる人に必要な病の一つなのかもしれません。決して自分は臆病者でも怠け者でもないんだよ、仕方ないんだよと脇舞台にいざるを得ないことを証明するために。治したいけど治してはならない人生でこじらしたインフルエンザとして。そして、インフルエンザにかかっている以上は人生の表舞台には出られません。治ったら来いよと言われても、治ってから行きますと返事しても、なかなか治らないのです。では、もし治ってしまったらどうなるのでしょう。

石橋を叩きすぎて壊して渡らない

私の悩みがひどかった頃、私は夢見てました。あがり症が治ったら学校に行こう、あがり症が治ったらゼミに出よう、あがり症が治ったら就活しようと。

私は決心していました。あがり症が治らない限りは就活すまい、あがり症が治らない限りは自分から手を上げるまい、あがり症が治らない限りは人前に立つまいと。

そうして私は、「もし、あがり症が治ったら」の世界に生きていたのです。さながらマッチ売りの少女です。マッチを擦ってははかない希望がほのかに漂い、その後に突き付けられる暗闇の絶望。そうして何度となく擦っては消えてを繰り返します。

それでは、その「もし」は、いつかなうのでしょうか。果たしてかなうことがあるのでしょうか。「もし」の中に逃げ込んだ私は、いつか治るかもしれないという永遠の可能性の中に生きていたのです。人生の課題を先送りするために人生に嘘を付いて。

「いつかやります」は「やりたくない」を意味します。人前を躊躇する人の検討中はやらないという意味です。「あがり症が治ったら人前に立つ」というのは、「私は人前には立ちません」という意味です。

そうまでして人は変化を恐れます。こんなにも苦しんでいるのに、苦しみが続く状態を維持し続ける。こんなにも変わることを望んでいるのに、変わらないことを選択し続ける。

なぜなら、そこにはメリットがあるからです。変わらないこと、治らないことのメリット、それはリスクを負わないということです。アドラーは言います。

「敗北を排除することによって優越性の目標を得ていた。対人関係で敗北することはなかった。人の中に入って行かなかったからである。仕事でも敗北しなかった。仕事に就いていなかったからである。愛においても敗北はなかった。愛を避けていたからである。主観的には、彼は人生に勝利を収めており、自分自身の条件で完全に人生を生きていた」（『人はなぜ神経症になるのか』p85）

あがり症が治った時、これまで避けていたものに直面します。アドラー心理学では人生の課題と言います。交友の課題、仕事の課題、愛の課題。これまで人の輪に入らず、仕事では目立たぬように最小限に抑え、愛の厄介な問題には立ち入らない。そんな生き方をしていた自分が得られていたもの、それは敗北を最小限に抑えていたという事実です。

課題に直面した時、傷つくかもしれません。失望するかもしれません。打ちのめされるかもしれません。

そうして、あがり症が治るという保証、緊張と不安がなくなるという保証、人前で震えないという保証がない限りはやるまいと決断し、石橋を叩いて、叩きすぎて壊して渡らないという決断をし続ける。

もしかしたら、それを続けている限りは、永遠に川の前に立って向こう岸に渡らない人生が続くのかもしれません。その時その人は、敗北から完全に逃げおおせた代わりに、人生で敗北をしてしまうのかもしれません。

それほどまでに、川の向こうに渡ることは勇気を必要とします。あまりに怖いから渡らなかったのでしょう。あまりに傷つきたくなかったから避けてきたのでしょう。そうして、川の前で何度となくマッチを擦ってきた人が、川の向こうにある人前で話す舞台に堂々と立つためにどうしていけば良いか、次の章から解説していきます。

第三章のまとめ

●不可能を可能にしようという思考と、自然発生する感情との摩擦があがり症の正体
●感情には目的がある。不安と恐怖という感情は、危機から逃れるための行動を促す
●人前を恐れる人は、劣等コンプレックスを使って逃げて、優越コンプレックスを使って「フリ」を演じる
●あがり症の全ての目的は、「自分には価値がないということを白日の下に晒さないために」というもの
●悩み続ける幻想の世界の中に生きている時は永遠に悩み続け、その幻想の世界から現実世界に飛び出した時、悩みを忘れる
●人前を恐れるあがり症は、敗北を排除し続けた果てに人生で敗北を味わう

第四章　人前で落ち着いて話せる自分になる

さあ、大変お待たせしました。いよいよここからは、人前で話すのが苦手なあがり症の方が、ではこれからどうしていけばいいのかについて話していきたいと思います。

症状へのあり方を変える

(1) 症状にはノータッチでいい

まず、ここまで話してきたことの確認をさせてください。

この本の冒頭でも少し述べましたが、あがり症とは一言で言えば、症状へのあり方と生き方の病です。脳や神経に異常があるわけでも心臓に異常があるわけでもなく、人前に立った時、他者の中に敵を探し、症状をも敵視して排除しようとするところから始まる幻想の病です。その幻想は、良かれと思ってする思考・感情・行動の全てのエネルギーが、まるでプロジェクターの動力源のようになって、あがり症の化け物を作り出します。

どうすればいいかと考えれば考えるほど、怖がれば怖がるほど、あがらないようにと対処すればするほど、益々あがり症の化け物が映し出され続けます。電源にエネルギーを注がなければいいと言われても、頭で理解しても身体は理解しません。あがり症の方はリアルなＶＲ（ヴァーチャルリアリティ）の世界に生き、そこでは敵国の中で敵兵に囲まれているのですからそうはいかないのです。大丈夫だよと言っても通じません。敵兵を目の当たりにして不安と恐怖という感情が必然的に湧き上がり、エネルギー源となってプロジェクターで化け物を映し続けるのです。


だから、人前で話すことの悩みを解決するためには、このプロジェクターがあがり症の化け物を映し出してしまう、自分自身の根本的な生き方を変えていく必要があります。

そして、その前提として一つだけ、アドラー心理学とはちょっと外れますが、どうしても話しておかなければならないことがあります。それが次のページの左の図です。陰陽図と言います。何かしら一度はご覧になったことがあるのではないでしょうか。分かりやすく右の図に書き直しました。

世の中のものは、様々なことが一対として存在しています。陰と陽、光と影、表と裏、男と女、マイナスとプラス、等々。それらは一方があってこそのまた一方です。どちらか一方だけでは存在

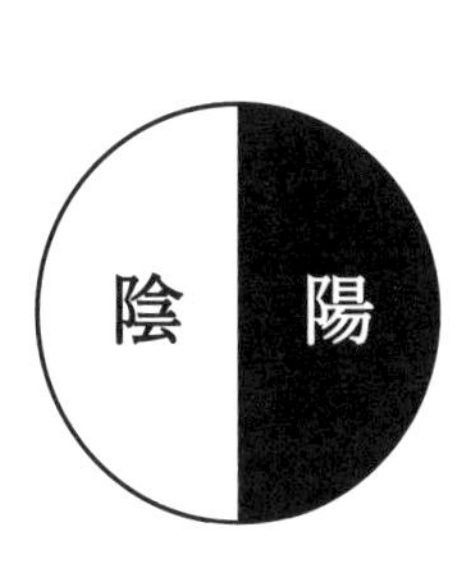

し得ません。逆に言えば、どちらか一方をなくそうとすることは、もう一方をもなくすことになります。両方があっての一つなのです。

では、あがり症の方にとっての「陰」に該当するものには、どんなものがあるのでしょうか。それは例えば症状について言えば、不安、恐怖、緊張、震え、赤面、どもり、動悸等、症状以外で言えば、欠点、原因などがそうでしょう。

結論から言います。ここを改善しようとしても、まずうまくいかないでしょう。あがり症の方は、不安や恐怖などの感情にしても、赤面や震え、動悸等の身体症状にしても、本来人間が本能的に持って自然発生的に生じるものを、意志の力で封じ込めようとしたり、抑えたり、止めたり、加工したり、あれやこれやといじくります。自然に沸き上がる感情、自然に生じる身体症状を封じようとするとき、何が起こるか。

不自然になります。陰と陽の片割れをなんとかしようといってもそう簡単にはいきません。いやむしろ、不可能を可能にしようとするようなものです。そこにこだわってなんとかしようとしている姿は端から見ると滑稽でさえあるかもしれません。

例えば自分の影を見て、私はこんな黒くなんかない、もっと澄んだ心を持ってるはずなのに、こんな黒い影は私にあってはならない、などと言って、なんとかしなきゃと薄めようとしたり、消しゴム使って消そうとしたり、白いペンキを塗ってみたり、それでも黒いままだから今度は見ないようにしてみたり、影さえ消えれば私は良くなるはずと、そこに永遠に答えを求め続けます。真面目なピエロのように。

笑い事のようですが、けれど、本当に笑えますでしょうか。例えば赤面症の方は赤を白にしようとしていないでしょうか。それこそ先ほどの影を消そうとした人のように。といったことを話すとここで赤面症の方は、それとこれとは違うとちょっと抵抗感を感じられるかもしれません。

以前こんなことがありました。私の講座に参加された方が、たまたまそれぞれの悩みがバラエティーのあるメンバーで、声が震えるのが苦痛な方、どもりの方、赤面症の方、書痙（手の震え）の方といった状況だったので、私はこれは名案と思って、あるワークをやりました。それは、それぞれの悩みや症状を、例えば声の震え、どもり、赤面、手の震え、多汗、顔のひきつりといったように細かく分けて、もし自分がそうなってしまった時のショック度を0～100で各自発表してくださいとやりました。すると皆さんご自身が一番悩んでいることは当然90とか100になりますが、それ以外だと意外に少なく20とか30になります。声の震えが100の人は赤面は20、どもりの人はどもりが100に対し手の震えは20といったように。

ここで、何人かが、えっ、となりました。なぜなら自分が一番ショックを受けることが他の人にとっては10とか20とか言われたからです。自分が最も苦しむ赤面に10や20と言われた赤面症の方が言いました。「ホントに皆さんそうなんですか。とても信じられない」と。更に言います。「だって、例えば顔が真っ赤になって喋っている社長とか見たら弱い人とか社長にふさわしくないって思いませんか」。皆さん、一斉に唱和しました。「思いません」。その方は何も言えず愕然とされていたのが印象的でした。

先ほど、真面目なピエロと言いました。本当にそうです。本人は必死になって悩み、苦しみ、もがき続け、医者やカウンセラーを歩き、各種療法を試し続け、時には死すら考える方々もいる中で、自分が最も苦しんでいることそのものが、そうではない方にしてみればどうでもいいことなのですから。

書痙はどもりを何とも思わず、どもりは赤面を何とも思わず、赤面は書痙を何とも思わない。いったい、彼ら彼女らの悩みとは何なのでしょう。それは、程度の差こそあれ誰にしも起こりうる症状に対して、勝手な自分の解釈で負の烙印を押しているに過ぎない、いわば価値付けの病なのです。

だから症状をなくそう、抑えようというやり方ではあがり症に上手くいかないのです。本人の信念にまでなっている価値付けを外してくれる薬やテクニックなんてどこにもないのですから。精神科の医療関係の方からは異論が出るかもしれませんが、私は症状をなんとかしようという対症療法にあがり症克服の答えはないと思っています。もっと言えば、あがらないようにというやり方には答えがないと思っています。

ではどうすればいいか。それは、陰に該当するものは、消そうとするのではなく適切にその目的を果たさせてあげればそれで良いということです。感情にも症状にも目的があるのですから、人為的にいじるのではなくそのままにしてその目的をしっかり果たさせる。いわばコントロールせずしてコントロールする。燃え盛っている火をなんとかしようと手を出した挙句にやけどするのではなく、しっかり燃焼させて酸素の供給を減らせば勝手に火は収まっていきます。それだけ。あがり症の方はみんな、火に手を出し、注目することで酸素をどんどん送り込んでいるようなものです。

だから、この章での前提、すなわちこの本での前提、更に言えば人前で話すことが苦手なあがり症の方が克服するための前提、それは、症状に対してはノータッチでいいということです。

緊張も、不安も、恐怖も、震えも、動悸も、どもりも、赤面も、多汗も、全てはあがってしまうことで症状が悪化します。だからあがらなければいいと考えます。いたって当然です。けれど、あがらないようにというやり方には答えがないと言われてしまう。禅問答のようです。

この辺まで来ると、思考ベースで生きているあがり症の方は混乱してきます。当然でしょう。だから、まずは陰のことについては深く考えずにとりあえず脇に置いておいて、陽へのあり方を学んでいく方が早いです。

（2）感情の目的を果たす

では、症状に対してはノータッチでいいという前提をもとに、症状へのあり方と生き方の病であるあがり症に対してどうしていけばいいのでしょうか。

症状に対してノータッチでいいと言われても戸惑う人は多いでしょう。そうは言っても来週、朝礼で話さなければならないんです、今度会社でプレゼンがあるんです、結婚式のスピーチがあるんです、どうしたらいいんですかと。

実際、人前に立った時のあのとてつもない恐怖・動悸・緊張は耐え難いものがあります。ある人はあの恐怖から逃れられるのなら一〇〇万円払ってもいいと言いました。

しかもその時だけじゃありません。予期不安と言って、人前で話す本番場面の前からずっと続くまとわりつくような居ても立っても居られない不安、そして人前で話し終わった後の絶望感を伴う落胆と恥ずかしさ。穴があったら入りたいくらいの。それに対してノータッチでいいと言われても困ります。では、どのように、どうノータッチで、そしてその代わりにどうしていけば良いか。

これまで述べてきましたが、そもそも感情には目的があります。不安は漠然とした未来への感情であり、恐怖とはリアルな現実への感情です。そして不安という感情の目的は、一言で言えば「備えよ」であり、恐怖という感情の目的は「今すぐ何とかしろ」です。

症状も同様です。動悸や呼吸が早くなるのは、恐怖場面に対応できるよう血流を増加させるためです。たくさん酸素を供給することで活動量を上げるために。震えは緊張のあまりガチガチになった身体を緩めるために。

これらの感情や症状は放っておくに尽きます。感情と症状を良いとか悪いとかで価値付けして悪い感情に抗うのではなく、ただただそのままに、感情と症状の目的に沿うようにする。感情は感じ尽くさせ、症状はほうっておいて、ただなるように身を任せるしかありません。その上で今なすべきことをしていく。変な話ですが、東日本大震災の時の日本人の有りようが近いかもしれません。辛い、苦しい、悲しい、そういった様々な感情が内面に交錯する中で、地震をあってはならないことと否定するのではなく、それを逆らえぬものとして従容と受け入れ、そこから今できることをただ淡々とこなしていく。

その上で、不安に対しては、その目的が備えよということであるならば、今後のためにただ備えるしかありません。あがり症の方は、症状をなんとか抑えようといろいろ考えを張り巡らせた挙げ句に益々あがってしまいますが、不安なら必要なことを備える。具体的に言うなら、来週の朝礼でスピーチしなければならないのなら、何を話すか準備する。

ただし、です。ここからがポイントです。あがり症の方は不安が高じて過度に準備してしまう傾向があります。原稿を一言一句用意したり、何度も何度も練習したり、滑舌の練習をしたり、読みやすい言葉に変えたり、マイクの位置、立つ場所、原稿の紙の固さなどの選び方、そういった行動全ての目的はただ一点、あがらないために。この時あがり症の方は克服の道を踏み外します。

本来、人前で話す目的は伝えるためのはずなのに、あがらないためにという目的にすり替わってしまった時、あがらないようにあがらないようにとあがることばかり考えて、かえってあがってしまうようになってしまうのです。準備の逆効果です。

だから、準備には仕分けが必要なのです。今、している準備が、自分があがらないための準備なのか、相手に伝えるため理解してもらうための準備なのか、その見極めが必要なのです。おおよそ、自分のためか相手のためかという点で、自分視点が強ければ強いほどうまくいかないでしょう。ポイントとしては、あがるかどうかを勘定に入れずに必要な分を必要なだけ準備できるかどうか、そこが鍵になるでしょう。

（3）真っ白になった時の対応法——実況中継する

そしてもう一つ、恐怖に対しては、その目的が対応せよということであれば、今必要な対応をするしかありません。朝礼で話している最中に恐怖のあまりに真っ白になってしまった時、あがり症の方は固まります。どうしようと頭の中でぐるぐる考えてパニック状態になります。そして益々どうしていいのか、何を言っていいのか、何もできずに時間だけが過ぎていきます。みんなの目が注がれます。強烈な恐怖体験です。そこには行動がありません。恐怖という感情が、今目の前のことに対応することを求めているのに対し、思考では回答にならないのです。行動するしかありません。

それでは真っ白になった時の行動とは何か、それは例えば、何か資料を読んでいたとするならば、それを指でなぞって目で追ったり紙をめくってみたりする。真っ白になったら言葉が出ないと言いますが、えーとか、あーとかは言えるでしょう。そうして、えーとか言いながら、現状の説明はできるかもしれません。現状とは、今真っ白になっていること、例えば「すいません、今真っ白になっちゃって」とか、「ちょっとテンパって飛んじゃいましたが」といったような事は言えるかもしれません。実況中継です。

ここからは、私独自の実況中継ワークのやり方をお伝えします。私の講座のうちで人前で話す場を設ける実践講座のまさに肝です。

私は実践講座の中で、実際に人前に立っていくつかのパターンで話してもらった後、最後にこの実況中継を体感してもらうことが多いです。話すネタは何も用意しません。そしてそのまま、一〜二分話をしてもらいます。話すネタがないのに何を話せばいいのか。それは、今の自分をありのままに表現することです。皆さん、そんなこと言われても100％ピンとこないので、私が見本を見せてからやってもらいます。例えばこんな感じで。

「えー、今、佐藤先生から今起こっていることをそのまま話せと言われましたけれど、そう言われても何を話していいのか分からなくて困っているのですが……、そのー……しかも、あがれー、もっとあがれーって言われたってなんだそりゃと言いますか、失礼かもしれませんが言ってる意味分かりませんし、そのー、こんなにしどろもどろしている自分が見られていると緊張してしまいます。えー、0〜100で言うと、今緊張レベルは70ぐらいです。えーっと、その……何喋っていいのか、ホント困りますが、そのー、今、手は震えてはいないのですが少し顔が赤くなっているような気がします。息が浅くなってます……えーっと、早く終わらないかなって思ってますがなかなか時間が来ないようで、そのー、いやー参ったなぁ……」

何これ、といった所かもしれません。けれど、これは結構うまくいったケースです。なぜか。あがり症の方が人前に立って頭が真っ白になってしまった時、思わず逃げ出したくなるほどの恐怖感に圧倒されます。みんなの目が一斉に注がれます。身動きが取れなくなります。この恐怖は吃音（どもり）の方ならお分かりでしょう。言葉が出せなくなるのと似たような状態ですね。そして、頭の中でどうしようどうしよう、いや、そんな言葉にすらなっていないのかもしれません。もう完全思考停止のパニック状態です。気が遠くなり卒倒しそうなほどです。中には一分位固まってしまったなんて話も聞いたことがあります。単なる一分ではありません。もはやこの一分は永遠にも感じられる地獄の一分です。この時、この事態を打開する方法は考えることにはありません。動くことにあります。

たとえ頭が真っ白になったとしても、今の自分をそのままに表現することはできるのではないでしょうか。先ほどのように。そうして実況中継をし続けているうちに次第に自分を取り戻していきます。卒倒しそうなほどの状態から気が確かになってきます。そうして自分を取り戻していき、自己一致することで次第に思考と言葉のズレがなくなっていくのです。これは体感してみないと分からないかもしれません。もし、皆さんが今後人前で真っ白になってしまったらやってみるといいでしょう。「えーっと、あのー、そのー、いやー頭が真っ白になっちゃって何言おうとしてたか飛んじゃいましたが……」などといったように。

とにかく恐怖という感情に対処するためには行動するしかありません。あがり症の方は思考に走ってパニックになってしまうことが多いですが、とにかく行動する。そして、行動の目的が、くれぐれも「陰」、すなわち症状や負の感情に対して向けられず、現実場面に向けられているかどうかが重要となります。

生き方を変える

（1）心の生活習慣を変える——三大探し

あがり症とは症状へのあり方と生き方の病であると言いました。では、次に、生き方を変えていくためにはどのようにしていけばいいのでしょうか。

ここまで何度も述べてきましたように、あがり症の方は人前に立った時、まるで敵国の中で敵に囲まれているかのような心境になります。だから隙を見せてはならないし、だから失敗してはならない。なぜならそれが命取りになるからです。そう考えてみれば、あがり症の方が人前に立った時の尋常ではない緊張と不安も肯けるのではないでしょうか。

しかし、それはあくまで本人の主観的世界の中での出来事に過ぎません。そんな状態がずっと続いていたらとてもじゃないですが気が休まる暇はないでしょう。警察に追われ続ける逃亡者のような心境に近いかもしれません。そしてそれは長年に、身につけていった感覚です。敵じゃないよと言われても、頭では理解できても、体が、心が、分かってくれません。人前に立った時、どうしてもそういった心境になってしまうのです。理屈じゃないのです。

そして、人前で話し終わった後には自分のダメなところやできていないところを徹底的に探します。録画したビデオを巻き戻して何度も再生するかのように、あそこで声が震えてしまった、あそこでどもってしまった、顔が真っ赤になってしまった、あがっているのがバレたに違いない、軽蔑されたかもしれない、変な人と思われたかもしれない、そうしてそんな自分に失望し、自信をなくしていきます。そして益々自分のできていないところに目がいくようになり、やっぱり私はダメだと、傷口に塩を塗ります。

そんなことばかりしていると、本当に他者のことなど考えられなくなってしまいます。自分のことばかり考えて、人に否定されたんじゃないか、人にバカにされたんじゃないかと、人の善意など想像すらつかなくなります。そんな自己中心的な世界に生きていると人に感謝することすらなくなっていきます。これらはメンタル面の生活習慣病と言ってもいいのかもしれません。

では、その生活習慣病に対してどうアプローチしていけば良いのか。それが、次に上げる三大探しです。

一つは味方探し。毎日寝る前にその日自分に味方してくれた人の行動を書く。どんな些細なことでもいいです。ランチを誘ってくれた、笑顔で挨拶してくれた、声をかけてくれた、そういったことをノートに三つ書く。書くのが大変であれば、寝る前に目をつぶって、三つ考えてつぶやいてみる。何もない時は過去を遡っても構いません。敵探しの名人のあがり症の方にとっては真逆のあり方です。これが一つ目。

そして二つ目は、できたこと探し。その日一日できたことを寝る前に三つ書く。どんな些細なことでもいいです。会社に行って仕事した、書類を提出した、○○さんと話せた。何も思いつかないという時は、今日を生き延びたでも、歯磨きしたでもいいです。ダメなとこ探しの天才のあがり症の方にとっては、だから何、ぐらいの話かもしれません。

最後の三つ目が、感謝探し。その日一日、感謝できることをノートに三つ書く。こじつけでも構いません。自分が出かける時雨が止んだ、ご飯をおいしく食べることができた、上司がいるおかげで安心して仕事ができる。等々。特に何もなかったという方はこれまでの人生であったことでも構いません。両親が自分を産んでくれた、あの先生の一言が嬉しかった。そして最後にありがとうございますと拝んで寝る。自分にも他人に対してもネガティブ探しの達人であるあがり症の方にとっては、むずがゆくなりそうなほどに慣れていないことかもしれません。

これら三つの「○○探し」を全部でなくてもいいです。どれか自分にとって良さそうなことを一つでも二つでも続けてやってみる。一日で三つもなかったという方は一つだけでもいいです。そして、ノートを買って書くのでもいいし、書くのが面倒なら寝る前につぶやくのでもいいです。更に言うなら三日坊主でもいいです。四日目に復活すればいいだけのことです。

とにかく肝は、緩く続けること。ちなみに予言しますが、一週間二週間、頑張って毎日続けたとしても、おそらく何も変わらないでしょう。一ヶ月続けたとしてもあまり変わらないかもしれません。

それで意味あるのかと思われたかもしれません。けど、それでいいです。変わらないのもある意味当然です。人生で一〇年二〇年かけて培ってきた心の生活習慣病は、そんなやわじゃありません。糖尿病や高血圧と一緒です。次のページの図を見てください。

この図のように、あがり症の方はたった一つの欠点、人前であがることだけを見つめ続けることで、一を一〇にも二〇にも感じられるようになっているのが現実です。そしてそれが心の生活習慣になっている。だから、生活習慣には生活習慣でじっくりと腰を据えて対抗していくしかありません。

この三大探しは、心の基礎体力作りです。一見、あがり症と何も関係ありませんが、これを長期的に継続していくと、いろいろな変化が現れる方が多いです。

ある方は、私が講座で話したことが響いたようで、その日に早速手帳を買って「感謝探し」を毎日書き続けました。その方は精神科、話し方教室、呼吸法、催眠療法等々、一通りやり尽くした人でした。そして一年後に会ったその人は、会うや否やその手帳を見せてくれました。あがり症が改善したと嬉しそうに仰いました。私の話を聞いた瞬間にこれだ、と思ったとのことでした。これは稀なことですが、それをやり始めてから一週間ぐらいで既に変化があったとのことでした。その後、私の講座にお招きして、「治った人」として公開インタビューをしましたが、なぜこれをやって良くなったのか説明がうまく付かないようでした。ただ、これをやっていることの意義は強く感じられていて、その時点でかれこれ二年以上毎日継続しているとのことでした。

またある方は、あがり症ではなく精神疾患の非常に重い方でしたが、私が「感謝探し」を紹介して、もしこれを一年続けられたら必ず変われる、サインして判子押してもいいと、うかつにも言ってしまったところ、満面の笑みでサインしてくださいと言われてしまいました。しまったと思いつつサインして判子を押して、だから何かを弁済すると

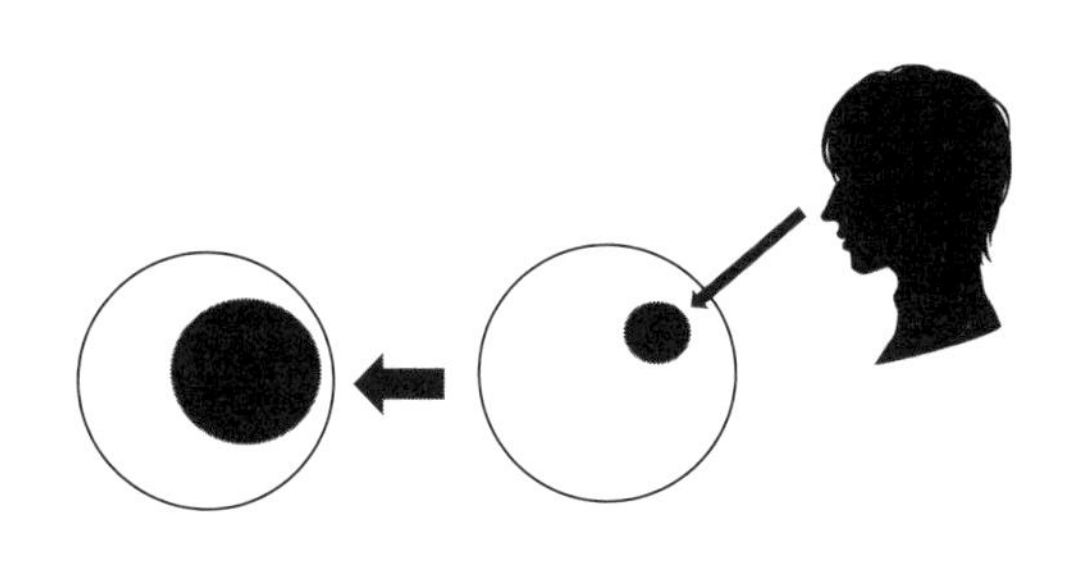

いうわけではないのですが、そんなことがありました。そしてその方は感謝探しを一年二年と続け、やがて相当な量を飲んでいた薬が今や頓服で必要な時に一つだけ飲んでいる状態になっています。

もちろん、直接の因果関係はどこまでか分からないし、医学的根拠などありません。うまくいかなかった人も実際にいて、何の根拠もない怪しげな話なのかもしれません。

けれど、医学的根拠がある療法や薬で治らなかったというあがり症の方が、私のもとに数多く来られます。私はここまで様々なことを述べてきましたが、極端な話、結果良ければあめ玉舐めても祈祷でも何でもいいと思っています。当事者視点から言わせてもらえば、根拠云々より結果云々です。エビデンス（証拠、根拠）あるけど治らない結果より、エビデンスなくても治る結果です。良くなればいいんです。身も蓋もないような話かもしれません。けれど、医療など様々なことをやってきてそれでも良くならなかったあがり症には、これまでとは全く違う視点のやり方をしていく必要がある事だけは間違いないでしょう。それは、「あがらないように」と「陰」に注目していくアプローチとは異なるやり方という意味で。

そのための心の基礎体力作りに、三大探しのどれか一つでもいい、やってみることを強くお勧めします。ご参考までに次のページに二つのパターンをご紹介します。ご自身に合う形で使ってみるといいかもしれませんね。

年　　月　　日

▶できたこと探し
今日一日、どんな些細なことでもいい、できたことを三つ書いてください。（例）宿題を出した、資料を作った、会社に行った、○○さんと会話できた、朝７時に起きた、etc

▶味方探し
今日一日、どんな些細なことでも勘違いでもいい、誰かが自分の味方になってくれたことを三つ書いてください。（例）歩道で知らない人とすれ違った時、傘を斜めにしてくれた、○○さんが挨拶してくれた、△△さんが目配せしてくれた、上司が話を聞いてくれた、etc

▶感謝探し
今日一日のことでも昔のことでもいい、感謝すべきことを三つ書いてください。（例）妻が弁当を作ってくれた、友人が心配してメールをくれた、両親が育ててくれた、あの時の○○さんの一言で今の自分がある、etc

より良い明日のために〈NO.　　〉　　　年　　月　　日

▶＿＿＿＿＿＿＿＿探し

①

②

③

今日の出来事や感じたこと

〈勇気づける言葉〉

（2）あがり症の自分を告白する

さて、人前で話す時、あがり症の方はあがらないようにとは思ってもどうしてもあがってしまいます。それをあがり症ではない人はしょうがないと受け入れるのに対し、あがり症の方は決して受け入れません。あがってはならないのです。けれどあがってしまう。そこで、あがり症の最大テーマである「人前で自分の価値が下がる」ことをなんとか避けるために、非常手段に出ます。見せかけでもいい、あがっているようには見えない状態を演じます。劣等感に直面することを避け、劣等感を覆い隠して手っ取り早い優越コンプレックスで外見を装うのです。内面はこれ以上ないぐらいに緊張しているのに、外見は平然とした顔をします。その姿はまるで無表情な顔をした風船人形のようです。風船人形の中は充満する劣等感で満たされます。

この時、何が起こるのでしょうか。一言で言えば自己不一致です。見た目の自分と内なる自分が一致していません。聴衆の前で見せかけの外見を保つために、内面のはち切れんばかりの劣等感を無理矢理抑え込みます。風船人形は破裂しそうなぐらいに膨れ上がった劣等感を必死に抑え込みながら、見せかけの今を生きています。それを誰にも言えずに一人、孤立した世界で苦しみます。「どうして自分だけが」、このあがり症特有の合言葉が、自分と他者との間に見えない壁を作り、更に自分を孤立感で苛ませます。

あがり症は自分自身に戻る必要があります。内なる本当の自分に。そのためには見た目と中身を一致させることが鍵になります。本当は苦しいのです。本当は死にもの狂いで今を耐えているのです。その内なる自分とは異なる外見を、どう和解させ、どう一致させるか。それには、無表情で決して辛いとも苦しいとも言わなかった風船人形の口を開かせ、真実を語らせることが必要となります。すなわち、自分があがっていることを、緊張していることを、そして何よりも自分があがり症であることを告白することです。

中には、夫にも妻にも自分があがり症であることを言ったことがない人もいます。言っても分かってくれないだろうと言う人もいます。では、他に誰に言えるのでしょうか。自分の伴侶にさえ言えなかったら、恥をさらすようなことは他の誰かになんてそう簡単には言えないでしょう。

けれど、もしあがり症の方が人前であがってしまった時、「私あがってます、私あがり症です」と勇気を持って言えた時、恥ずかしさと同時に何かホッとするような安堵感を感じるでしょう。

人前に限りません。あがり症の方がどうしても言えなかった、それこそ国家機密レベルで隠してきた、自分があがり症であるという真実を言えた時、あの感覚が自身に訪れるに違いありません。許しという名のあの感覚が。

あがり症の方は許さなかったのです。どうしても許せなかったのです。あがってしまう自分を、震えてしまう自分を、人より劣っている自分を。それこそ毎日のように自分裁判で自分に有罪判決を下し続けて。

あがり症の方に必要なことはあなたがあなた自身を許すこと。あがってしまう自分を許すこと。震えてしまう自分を許すこと。人より劣っている自分を許すこと。あなたに必要だったことは、ダメな自分をそのままにダメでいいと許す自己受容だったのです。

けれど、許すには決意が必要です。完全を求め続けるがあまりに逆に不完全であり続けたあがり症の方に必要なこと、それは不完全である勇気を持つことです。あなたがあなたの不完全さを許したその時、あなたは完全に近づくに違いありません。アドラーは言います。

「勇気のもっともすぐれた表現の一つは、不完全である勇気、失敗をする勇気、誤っていることが明らかにされる勇気である」（『勇気はいかに回復されるのか』p57）

この三つの勇気のどれか一つを持っているあがり症の方はいったいどれだけいるのでしょう。もしかしたら、一つも持っていない方のほうが多いのかもしれません。

あがり症の方はおそらく勘違いしていたのでしょう。何が本当の強さかということを。

見せかけの強さを求め、自分の弱さをひた隠しにしてきた人間にとって、本当の強さは正反対の位置にあります。本当の強さとは自分の弱さを認めることにあります。自分の弱さを認め、他者の前にさらけ出したその時、あなたは最も強くなるでしょう。

そうして、自分の不完全さを受け入れることができた時、あなたはあなた自身になります。その時初めて、風船人形の空気がスーッと抜けていき、本当の自分自身が現れます。もう見せかけの自分を演じる必要はありません。もう他の誰かの言葉を語る必要はありません。その時、あなたの硬直した表情に人間らしさの血流が再びめぐり始めるに違いありません。外見と内面が一致した自分のままに喜怒哀楽を表現し、緊張と不安もまたそのままに感じながら。

そして外見と内面が自己一致した状態で、ありのままの自分を実況中継することができるようになれば、人前でのあがりは驚くほど軽減していくに違いありません。

(3) 敵国を友好国に変える

毎日をまるで敵国の中に生きるかのようにビクビク怯えながら暮らしているあがり症の方にとって、人前に立って人々の注目を集める状況は恐怖そのものです。いつ自分が攻撃されるか分からないからです。けれど、これは既に述べてきたように、あがり症の方の歪んだ眼鏡が見ている幻想の国での出来事に過ぎません。けれど、この幻想をあがり症の方は真実として受け止めて生きています。そしてこの、幻想だけれども真実の世界の中で、他者の一言、他者の動き、他者の目線の中に、敵であることの証拠探しをして、まるでこじつけるかのようにそれを見つけます。敵の証拠を見つけたら防御しなければなりません。劣っている自分を見せてはなりません。自分が人前で上がって失敗してはなりません。

この生き辛さのパターンを変えていく必要があります。それが敵国を友好国に変えることです。これには様々な取り組みが考えられます。一つには三大探しのところで述べたように味方探しです。敵探しのプロとしてそれを生活習慣病のように身につけたあがり症の方には、味方探しを地道にやっていくことを第二の生活習慣として身に付けることが、亀のような歩み方にも見えて実はうさぎにもなりうる本質的な取り組みです。

他に敵国を友好国に変えるためにどのような取り組みがあるのでしょうか。

そもそもあがり症の方は自然に敵国パターンを作り出すかのように生きています。相手を敵と感じたら自分は警戒します。警戒すると相手との間に見えない壁を作ります。それは程度の差こそあれ相手に伝わります。だから相手も自分は警戒されてるなという風に薄々感じます。そう感じると相手の方も、仮に自分と仲良くなりたいと思っていたとしてもなかなかその壁を越えてくることは難しくなります。そうして自分と相手との間にある壁が自分を守ると同時に仲間となることを妨げてしまいます。個人的な鎖国状態です。

この鎖国状態を止め、友好国と交友を結ぶためには、相手との間にある壁を取り払うだけでは足りません。相手にとってみれば壁を取り払ってくれたのかどうか見た目では分からないからです。

自分からそれを示す必要があります。どうすればいいか。そのキーワードが協力と貢献です。

よく小学校の銅像にある偉人の二宮尊徳、二宮金次郎とも言いますが、彼が残した言葉でたらいの水の例えがあります。水が欲しいあまりに、たらいの中にある水を自分のもとに持ってこようとかき集めると、逆に水はたらいの反対側へと離れていきます。そうではなく自分の周囲へ水を届けようと押しやると、たらいの壁に水がぶち当たり、逆に自分のもとへ水が返ってきます。これは一つの真理を突いているでしょう。

人前を恐れるあがり症の方が、自分のことばかり考えてかえって自分のためにならずに益々あがってしまうあり方とは真逆のあり方です。この真逆のあり方を変えていくのです。つまり、他者と協力し他者に貢献していく。では、どのように協力しどのように貢献していけば良いのでしょうか。

そのためには、敵との間にまず交流の架け橋を作る必要があります。入り口はまず挨拶でしょう。今まで周囲の敵とおぼしき人に挨拶していなかったとしたら挨拶してみる。声の音量を10あるうち1の音量で挨拶していたとしたら2にしてみる。2の音量だったら2.5の声の大きさで挨拶してみる。目を合わさずに挨拶していたとしたら目を一瞬だけでも見る。目を一瞬だけ見ていたとしたら、頑張ってちょっとだけじっと目を見て挨拶してみる。

そして次に会話です。これまでほとんど会話がなかったとしたら、ベタな話ですが天気のネタでもいい、オリンピックやワールドカップなどのスポーツネタでもいい、共通の話題で話をしてみること。暑いですね、寒いですね、オリンピックすごかったですね、ワールドカップ感動しましたね。そうして、かつては敵だった誰かとの間に挨拶と何気ない会話ができるようになることで、その時もはや敵は敵でなくなります。

私のカウンセリングを受けて対人関係が変わったあがり症の方がいました。カウンセリングの際に、あがり症とは全く関係なく最も古い記憶を聞いていくとその記憶の中に人生初の敵が現れました。更にカウンセリングを進めていく中で、敵には敵の事情があったということを理解した時に何か憑き物が落ちたかのようでした。カウンセリング後まもなくして、これまで職場の苦手な同僚に最低限の言葉しかかけていなかったのに、ふと何気なく声をかけてみたら実はその同僚は意外に良い奴だと気づいて関係性が良くなったと仰っていました。また、朝の朝礼を始める時におはようございますという声が自然に大きくなったとも仰っていました。その方は幼き日に自分を守るために他者との間に見えない壁を作り、数一〇年を経てその壁を自ら取り払ったのでしょう。

けれど、実はそれだけでは協力と貢献にとってはまだ半分以下です。実際に何かをしていく必要があります。何気ないことでいいです。職場だったら忙しそうな同僚に何か手伝えることありますか、と聞いてみる。あるいはチームでやっている役割で楽な方を選ばずに自分から率先して人が嫌がることをやってみる。お客さんに喜んでもらえるために何ができるか、もう一粘りしてみる。同僚の足を引っ張るのではなく、同僚に、上司に、部下に、何か協力できることはないか考え、そして考えるだけでなくささやかな行動をしてみる。友達だったら例えば友達が好きなことや趣味についての情報があったら、こんなのあったよと教えてあげる。家庭だったら、これまで妻の愚痴を全く聞いてこなかったとしたら、五分だけでも聞いてみる。この時奥さんの愚痴に対してアドバイスする人が多いかもしれませんが、一切何も言う必要はないです。余計なアドバイスは奥さんをがっかりさせるだけになるかもしれません。特に女性は解決を求めていないことがしばしばあります。解決じゃなくて分かって欲しいんです。聞いて欲しいんです。だからその時は五分だけ、うんうん聞いてあげること。逆に夫に何かしてあげるとしたら、お仕事お疲れ様でもいい、頑張ってるねでもいい、弁当のおかずを一つ増やすでもいい、ささやかな協力と貢献を自分が考えられる範囲で無理なくやっていくといいでしょう。

こんなの全くあがり症と関係ないじゃないか、人前で緊張する事と全く関係ないじゃないかと思う人も多いでしょう。もっともなことだと思います。けれど、私はここで断言します。これでいいのです。結局、あがり症とは何を見ているかにあります。人からどう思われるか、人に否定されるのじゃないか、自分が人前であがったらどうしよう、そしてこの緊張さえなければ、震えることさえなければ、どもることさえなければと考えるあり方は、ただただ自分のことばかり見ている自己中心的なあり方です。陰と陽で言うならば徹底的に陰しか見てこなかったのです。だからあがり症であり続けたのです。

この見ているものの割合を変えていく必要があります。それは自分から他者への視点のシフトです。これまで9.9対0.1で自分のことばかり見ていたのを9対1に変えていく。9対1だったとしたら8対2に、8対2だったら7対3に。他者を見て、他者のことを考え、他者に役立つことを考える。それは自分への注目の病とも言えるあがり症の、自分へのとらわれからの解放を意味すると同時に、協力と貢献によってあなたのもとにたらいの水が返ってくるでしょう。その時、敵は味方へと変わっているに違いありません。

前に、感謝探しをやってみてなぜあがり症が良くなったのか説明がつかない人の話をしましたが、良くなった理由はまさにここにあります。その方は緊張と不安、すなわち陰をなんとかしようとありとあらゆる治療法を続けた果てに陰を見ることを一旦止めて、その代わりに他者との間に感謝の力で相互尊敬・相互信頼の架け橋を築いたことで、人前で失敗しても大丈夫な安心安全の共同体感覚の居場所を作ることができたのでしょう。その時、あがり症の症状としての緊張と不安や震えにはノータッチなままにあがり症を改善したのです。

（4）勇気を呼び起こす

共同体感覚が増すと勇気が湧いてきます。繋がりが勇気を生むからです。だから、あがり症の克服にはまず何よりも共同体感覚を増していくことが重要です。

とは言え、あがり症の方が人前で話すには時に想像を絶するほどの恐怖を伴うため、相当な勇気が必要です。そう考えるならば、勇気の湧き出る泉はあればあるほどいいでしょう。ではその泉はどこにあるのか。

考えてみてほしいのです。皆さんが人生の中でたとえ困難があっても勇気を持って立ち向かえていた時は、いつどんな時だったでしょうか。その時何をしていましたか。そこで自分はどんなキャラでしたか。どのように人と関わっていましたか。そして、なぜその時あなたは勇気を持てたのでしょう。

私はカウンセリングの際に、時にこんなことをしつこく聞いていきます。なぜならそこにその人の成功条件なり、勇気の源があるからです。もちろん、あがり症の方にも聞きます。ほとんどの人がそういった時はあがり症が軽かった、あるいはあまり気にしていなかったと言います。

あるあがり症の方がいました。子育てに追われている中で、昔あがり症だったのを忘れるぐらいに生きていた時に勃発したのがＰＴＡ問題です。様々なママさんと一堂に会し自己紹介が始まりました。輪になってキラキラママさんや弁舌さわやかなママさんが順に自己紹介していきます。圧倒されます。私ここにいていいのかと逃げ出したくなります。とてもじゃないけどあんな風には話せないどころか、絶対あがってしまい、しどろもどろになって恥を晒すに違いないと思います。気が遠くなっていきます。段々自分の話す番が近づいてきます。緊張と恐怖のあまり、半ばパニック状態です。誰かが話している言葉が頭の上を通り過ぎていきます。何か意味のある単語を話しているようにも思いますが、どうも宇宙人か何かが口をパクパクしているようにしか見えません。そして……

その方は絶望感と共にご相談に来られました。今は子育てに追われ、自分の意志もなくやりたいこともできない閉塞感に覆われていました。しかし、よくよく聞いてみると、その方があがり症とは思えないほどの行動をしていた時期がありました。ずっと抑圧された気持ちを抱えていた子供時代から一転、一人暮らしをし始めた大学時代は解放感と共に遊びほうけ、人から何言われようがどう思われようが全く気にしていなかったとのことでした。やがて海外の語学学校に入り、そこで外国人の方々ともに語学を学んだ時は人前で普通に話すし、あがり症も対人恐怖も何もなく本当に楽しかったとのことでした。

この方の人生を聞いていくと、まるで足枷をはめられたかのように重さを感じたり抑圧された状況にある時はあがり症になり、背中に羽が生えたかのように好きなことをして飛び回っている時期はあがり症の症状がなかったのです。そして今まさに抑圧の時期だったのです。そこで私との間で「解放」と「好きなこと」をテーマに、可能な範囲でやりたくないことは一切やらず、やりたいことをやっていこうということになりました。そして一つずつやっていった結果、顔に明るさを取り戻していき、あがり症の話がほとんど出なくなっていったのでした。

陰と陽で言えば、不安 - 欲望、嫌い - 好き、義務（やるべき）- 解放（やらなくていい）といったようなテーマの陽の部分を増やしていくことで、あがり症を軽減していったのです。病は気からと言います。あがり症の方の傾向として、プラスを伸ばすタイプよりもマイナスを抑えるタイプの方が多いです。そういった方がその特性のままに、よりによって「あがらないように」と不可能を可能にしようとした時、悪循環の罠がグルグル回り始めます。そうではなくて、対あがり症について言えばマイナスは完全にノータッチで、やりたいこと、好きなこと、ワクワクすること、イキイキすること、夢中になれること、そういったことをやっていけば、あがりは近寄ってこれません。人生でこじらせたインフルエンザと言いました。インフルエンザには基礎体力で体の活力を上げていくことが役に立つのではないでしょうか。そして、アントニオ猪木さんは、元気があれば何でもできると言いましたが、本当にその通りなのかもしれません。元気があれば人前に立つ勇気も持てるのかもしれません。

あなたが元気になれる、ワクワク夢中になれることは何でしょう。

そして、もう一つ、勇気が湧く泉を取り上げてみたいと思います。

私は実は、人の生きる意味とか生きがい等に関心があり、人生の終盤を迎える方や残り限られた方に自分の生きてきた意味や価値を感じてもらうカウンセリングを行っています。そこで、そういった方々に有効なカウンセリングの質問で使えそうなものを自分なりに調べていろいろ集めました。その中には、ディグニティ（尊厳）セラピーと呼ばれる終末期の方向けの質問などもあります。そしてそれらの質問をあがり症講座の中でワークとして使っています。

ある会社の社長さんがあがり症の本の読書会に出られた時のことです。実は私は読書会と言いながらほとんど本を読まずに、臨機応変にワークや話し合いなどをすることが結構あります。その時も自己紹介などを聞いて、今日はこれをやろうと思ってそういった質問を取り入れたワークをやりました。例えば、「余命一ヶ月です。何を止めて何をしますか」とか、「あがり症が治ったら何をしますか」、「それはあなたにとってどんな意味があるのですか」等々、それぞれの価値観をあぶりだしていくことをグループワークでやっていきました。

すると、社員の前であがってしまう自分がどうしても許せないと言ってあがりを何とかしたいともがき続けていたその社長さんから、自分は会社を通してこんなことを実現したい、人生でこんなことがあったからだ等々、非常に感動的なお話をされました。他の皆さんも同じように、自分の価値観などを話して何か高揚されている様子でした。すると、自分はこれこれこうしたい。本当はこんなことやりたかったんだといった言葉が出てきました。

その日はあがり症の話はほとんど出ませんでした。けれど終えた時、皆さんの目が明らかに変わっていました。価値観と生きる意味を掘り起こしたことが勇気を喚起したのかもしれません。

また、以前に認知行動療法という心理療法の第一人者である大野裕先生の講座に出た時のことです。大野先生がしばしばお話される話で、吃音の方の話があります。ざっとこんな感じの話でした。

大野先生が以前に吃音の方を対象に認知行動療法講座を開催した時のことです。その場には約五〇人ぐらいの当事者の方が参加していたようです。そこにある学校の先生がいました。国語教師です。その方が自分の体験談を語りました。ある日の授業で、誰か教科書を読んでとクラスの児童に向けて言いました。誰かが手を上げるだろうと思ったようです。しかし誰も手を上げません。仕方なしにその先生は自分で読み始めました。やがて、自分が苦手とする単語の所にきました。思わず身構えます。……言葉が出ません。教室はざわめきます。生徒は顔を上げます。どうしたのだろうと。しかし言葉は出ませんでした。うちのめされました。

こういった話をその吃音の方は講座の中で話されたようです。大野先生はこの話を聞き、なるほどそれはつらいですねと返します。しかし、ここで疑問が生じます。吃音者が何故に学校の先生になったのか。しかも、よりによって最も恐れる朗読があるであろう国語の教師を選んだのか。大野先生は率直にそのことを問います。どういった理由で国語の教師を選んだのでしょうか。その方は答えたそうです。吃音で苦しんだ自分だけに言葉の大切さを子供たちに伝えたかったからだと。大野先生は再び問います。吃音で失敗したからといって、それが伝えられないでしょうかと。国語教師はハッと気づきます。自分の目指していたことを。そして自分の原点に。

人は自分のしていることに価値を感じた時や自分にとって意義あることをしている時、身体の中に何かが湧き上がります。アドラーはその書籍の中で「天才」について語っています。天才達の人類への計り知れない貢献度を賞賛しています。天才と比較するのはちょっと違うのかもしれませんが、きっと歴史上の天才なり偉人達は仮に大きな困難があったとしても自分のやろうとしていることの意義を胸に、不屈の勇気がとめどもなく湧き上がっていたのかもしれません。

人は時に、よりによってということをしていることがあります。先ほどの吃音の先生の例がそうでしょう。私自身、いつも不思議な思いに駆られます。私はかつて、対人恐怖症であり、あがり症であり、社交不安症であり、更に言えば会食恐怖であり、書痙であり、自己臭恐怖であり、もうこの辺にしておきますが、社交不安の尺度テストを受ければ高得点間違いなしの当事者でした。その私が、人と話すカウンセラーや対人援助の仕事に就き、よりによって最も恐れ、徹底的に逃げ回った人前で話すことを仕事としてやっていることに驚きを感じざるを得ません。人生は不可思議なものです。

振り返ってみれば、三〇代前半ぐらいの頃です。当時の私は、あがり症がひどくなり、それこそ朝起きてから寝るまで、要は寝ている間以外はずっと緊張しっぱなしで心身共に疲弊しました。慢性的な肩こりと腰痛と呼吸困難に悩まされました。私はほとほとうんざりしました。もうこんな自分はイヤだ、自分のことばかり考えて自分のことでばかり悩み続ける人生はもうイヤだと心の中で絶叫しました。どうせ悩むのなら他の人のことで悩みたい、他の誰かのために何かしたいと強く願いました。そうして紆余曲折を経て対人援助の仕事に就きました。

私は対人援助の仕事を通して、悩みの中にいる人が勇気や希望を持つ瞬間に立ち会えることが好きです。私はもしかしたら、目の前の悩みの中にいる人にかつての自分を見出し、あの日の自分を勇気づけるかのように生きているのかもしれません。

そして思います。私の人生で体験したあの強烈な劣等感は、自らをここまで持ってきた原動力だったのかもしれないと。なぜ、あんなにも恐れていた人前で話すことを今もなお何度も何度もやり続けるのか。私は確かめ続けているのかもしれません。人前を恐れ、みっともないほどに逃げ続けた臆病な自分だったけれど、けれどお前にはきっと勇気があるんだぞ、お前はきっとやれるんだぞと。

人は物語を生きています。あの日の自分やあの日の誰かに届ける物語を、声掛ける物語を。もしかしたらアドラー自身もそうだったのかもしれません。まるで、病弱だった自分、そして死を宣告されたあの日の自分を勇気づけるかのように、自分のもとに来た子供たちに優しく接している様子がアドラーの著書から伺えます。私がライフスタイル診断を通して人生を聞いた方々の中にもしばしばいました。幼き日に絶望と恐れに覆われた自分に、大丈夫だよ、あなたは愛に包まれているんだよと声掛けるかのように目の前の悩める人を愛で包み込む方。幼くして亡くなったきょうだいの悲劇を胸に、あの日のきょうだいを笑顔に変えようとするかのように生きてきた方。

ロゴセラピーを創始したヴィクトール・フランクルは、絶望を次のように定義しました。

「絶望＝苦悩－意味」

自身がナチスの強制収容所で絶望のどん底から生き延びた体験を持つフランクルは、「絶望＝苦悩」とは捉えなかったのです。

そこに意味という変数を見い出しました。意味は価値とも言い換えることができるかもしれません。例えどれだけの苦悩であったとしても、そこに意味を見い出せば絶望は減ります。しかし、意味を感じることができなければ、絶望をそのままに体感します。強制収容所の地獄の日々の中で、自分を待っている人と自分を待っている仕事に、生きる意味と生きる支えを見出したフランクルならではの実感を伴った言葉には、ある種の凄みを感じます。

あなたの生きる意味とは何でしょう。

今、あなたにとって意味のある人生を送っていますか。

人生を終えるその時、これで良かったと思える人生だったとしたら何を人生で成し遂げたのでしょう。

あなたがあなたの生きる意味の中に生きている時、あなたは困難に立ち向かう勇気を、そして人前に立つ勇気を持つでしょう。そしてその時、あなたのあがり症は軽減しているに違いありません。

では、ここまで述べてきた勇気を呼び起こす方法のポイントを以下にまとめます。

1　共同体感覚を増す（繋がり、協力、貢献）

2　ワクワク夢中になれることをやる
3　価値観（生きる意味）に沿って生きる

勇気は生きる力です。勇気は困難を克服する活力です。私は、今、あまりの恐怖と不安に覆われて勇気と希望を失っている方々に、次のアドラーの言葉を贈りたいです。

「真実の人間知には、今日、本来、次の人間のタイプだけが到達しうるということである。即ち、それは、人間の精神生活におけるあらゆる失敗の真っ直中にいて、そこから自ら救済された人、あるいは、少なくとも近くまで達した『罪を悔いている罪人』である」（『人間知の心理学』p20）

最も辛酸を舐めた人こそが何かをつかみ得るのです。

ライフスタイルの謎を解く

アドラー心理学には、人の生き方のパターンを探るライフスタイル診断（分析）をもとに、今目の前の悩みについて相談していくカウンセリングがあります。これは一人でできるものではなく、一定程度のスキルを伴ったアドラー派のカウンセラーと共にやるものです。しかも非常に抽象的で理論的に理解しにくい所もありますので、ここでは一つの参考例として読んで頂けたらと思います。

ライフスタイル診断では幼少期から今に至るまでの人生を詳細に聞いていきます。その中で一番重要なものに早期回想というものがあります。最も古い記憶です。そこにその人の人生の謎が秘められていることがしばしばあります。

あるあがり症の方がいました。上下関係が厳しい体育会系の会社に勤めていましたが、そこで毎朝行われる朝礼やミーティングなどが苦痛で仕方がない、声や手足が震えてしまう、とのこと。元々人前は苦手だったが一度失敗してからというもの、そのことばかり考えるようになってしまったとのことでした。

その方は言いました。小さい頃、親が厳しかったせいで自分はこうなってしまった。自分の言いたいことも言えず本音が言えない人間になってしまったと。そしてライフスタイル診断で幼少期のことを聞いていく中で、早期回想のところである記憶が出てきました。

「学校で冗談半分で友達を押したら転んでしまい、流血騒ぎになった。悲鳴が上がったり、みんなバタバタとして誰かが先生を呼びに行って、先生がすぐに来て車で病院に連れて行った。その間自分は呆然としてただ突っ立っていた」

その方は何気なくこの記憶を語りました。遠い昔の出来事なのになぜか鮮明に覚えている。そして、この記憶から何一〇年と経た今、人前で言葉を発しようとするとまるでこの時を再現するかのようにみんなの目が自分を見つめ、何か責められてるような感覚になって言葉が出てこなくなるのです。その方はやり終えていない人生の課題を残していました。親のせいで自分があがり症になったと何度も言い続けたその方の本当の物語は、自分が幼き日に責任を取らず人前で口を閉ざした物語だったのです。親のせいの物語で生きている限りは責任を取らなくて良かったものの、それは同時に自分を生きていません。自分では解決できないのです。そこでこの時に戻ってやり終えていなかった謝罪を果たすことで、現在の人前で閉ざした口が少しずつ開かれていったのでした。

また、こんな方がいました。人前が苦手だけでなく、人と話している時も目や鼻がピクピクしたり顔がひきつってしまう。なので、会社でも報告・連絡・相談といったような最低限の会話で済ませている。ひきつってしまった時は逃げるように話を終わらせてしまう。このひきつりさえなければと。

そして小さい頃の状況を聞いていきました。その方は非常にストレスフルな幼少期を過ごしていました。プライベートがないぐらいに親が自分の領域に侵入してきます。そしてある時、知らない人にいきなり叩かれました。相当怖かったことでしょう。私はその方に言いました。もしかしたらあなたはひきつりを使うことによって、もうこれ以上近づかないで、もうこれ以上私の領域を侵さないでと、自分自身を守ってきたのではないでしょうかと。その方は思わず絶句しました。そして絞り出すように、そうかもしれないと言いました。私は聞きました。もしあなたがひきつりを使わなかったらどうなっていましたか。その方は言いました。壊れていたかもしれないと。私は答えました。そうかもしれませんね。だから、あなたにはひきつりは必要だったのです。苦しくてもどかしかったかもしれませんが、自分自身を守るためにひきつりは必要だったのです。ただ、それは同時に、他者との間に壁を作ることになり自分の生き辛さになっていたのかもしれませんね。だから、きっと人生のある時期まではひきつりは必要だったんでしょう。これからはその状況によって手放していくことが必要なのかもしれませんねと話しました。何か呆然としたような、それでいて肩の力が抜けたかのような、そんなご様子でした。

以後、その方と会ってはいません。その後どうなったかは分かりませんが、ひきつりが自分の人生の邪魔をして、これがあるばかりに自分は対人関係がうまくいかないと考えていたその方のストーリーが、実はひきつりは敵でもなんでもなく自分を守るために必要だったというストーリーに書き換わったことにその方は衝撃を受けました。ひきつりに振り回されていた自分がひきつりを使っていた事実を知った時、コントロール不能からコントロール可能なものへと対象が変わりました。こうして、出来事は何一つ変わってはいないけれど、出来事の意味づけが変わった時、人はこれまでとは違う物語を歩み始めるのではないかと思うのです。

こうして人前で話すことが苦手なあがり症の方のライフスタイルを掘り起こしていくことで、その方の人生に秘められた謎を発見できることがあります。もちろん全部が全部そうではないです。正直、このライフスタイルであがり症になったことをどう読み解けばいいいんだろうと分からないことがあることも事実です。けれど、こういった方々の中にしばしば見られるのが、ある日ある時、口を閉ざした方です。その理由は様々でしょう。言っても無駄と思ったのか、自分は言ってはいけないと思ったのか、言ったら危険だと感じたのか、謝ることにプレッシャーを感じたのか。ただいずれにせよ、口を閉ざした時と似たような状況が現れる度に、まるで人生で何度も鳴らし続ける警告音のように心を揺らして、言葉が出なくなってしまうのかもしれません。

結局、人は大人になっても本質ではそんなに変わっていません。たった四、五才で取っていた行動パターンが大人になっても同じようなことをしていることはよくあります。表面的には高度になったり洗練されているようでいて、みんな子供の頃のままなのかもしれません。

ただ、大事なところは、全てはあなたが選んだことだということです。人生では様々なことが起こります。特に幼少期は弱さに直面する時期です。様々な困難が起こることでしょう。それでもあなたは良かれ悪しかれ自分で自己決定してきました。立ち向かうのか、逃げるのか、努力して乗り越えるのか、我慢するのか、誰かを頼るのか、仲間と協力するのか。そして、あなたが選んだことである以上、それはあなたが決意した時から選ばない選択もできるのです。人はいかなる状況であれ、自らどうあるかは自分で決めることができます。あなたは決して人生の被害者なのではありません。過去はどうであれこれからの未来はあなたが変えられるのです。あなたの人生は他の誰のものでもない、あなたのものなのです。

第四章のまとめ

症状へのあり方を変えるポイント

（1）症状にはノータッチでいい

●あがり症は、誰にしも起こりうる症状に対して、勝手な自分の解釈で負の烙印を押しているに過ぎない価値付けの病

●感情と症状は、人為的にいじるのではなくその目的をしっかり果たさせる

●症状に対してはノータッチで良い

（2）感情の目的を果たす

●不安という感情の目的は「備えよ」であり、恐怖という感情の目的は「今すぐ何とかしろ」

●あがらないためにという目的にすり替わってしまった時、あがらないようにあがらないようにとあがることばかり考えて、かえってあがってしまう

●準備には仕分けが必要（あがらないための準備なのか、相手に伝えるための準備なのか）

（3）真っ白になった時の対応法――実況中継する

●思考より行動
●真っ白になった時は実況中継する

生き方を変えるポイント

（1）心の生活習慣を変える

●メンタルの生活習慣病を変えるのが、味方探し、できたこと探し、感謝探しの三大探し

（2）あがり症の自分を告白する

●あがり症は見た目の自分と内なる自分が一致していない。聴衆の前で見せかけの外見を保つために、内面のはち切れんばかりの劣等感を無理矢理抑え込む
●自分があがり症であるという真実を言えた時、許しが訪れる
●あがり症の方に必要なことは、あがってしまう自分を許すこと。震えてしまう自分を許すこと。人より劣っている自分を許すこと。ダメな自分をそのままにダメでいいと許す自己受容
●完全を求め続けるがあまりに逆に不完全であり続けたあがり症の方に必要なことは不完全である勇気を持つこと
●本当の強さとは自分の弱さを認めること。自分の弱さを認め、他者の前にさらけ出した時、最

も強くなる

●外見と内面が自己一致した状態で、ありのままの自分を実況中継することができるようになれば、人前でのあがりは軽減していく

（3）敵国を友好国に変える

●他者と協力し他者に貢献していく。ささやかな協力と貢献を自分が考えられる範囲で無理なくやっていく

（4）勇気を呼び起こす

●対あがり症について言えばマイナスは完全にノータッチで、やりたいこと、好きなこと、ワクワクすること、イキイキすること、夢中になれること、そういったことをやっていけば、あがりは近寄ってこれない

●人は自分のしていることに価値を感じた時や自分にとって意義あることをしている時、身体の中に勇気が湧き上がる

●どれだけの苦悩であったとしても、そこに意味を見い出せば絶望は減る

第五章　人前を恐れるあがり症の克服像

転機はどのように訪れるか

人前を恐れる人たちに特有なあり方として、ためらいの態度があります。前に立とうとする時、チャレンジしようとする時、新しい環境に入ろうとする時、敗北することを恐れるがあまりにためらいの態度を使うことによって自分にストップをかけます。ちょっと待ってよと。

その時、内なる会話が始まります。失敗したら大変なことになるぞ、今やる必要あるのか。無理してやらなくてもいいんじゃないかと。

そして例の言葉が始まります。「イエス（はい）、バット（でも）」が。「イエス（はい）、前に進みたいんだけど、バット（でも）、これこれこうだから進めないんだよね」と。この時、周りの人が前に進めない理由を取り除いてあげてもうまくいかないでしょう。なぜなら前に進めないのではなく、進まないと決めているからあの手この手で進まないための千の理由を探し出してくるからです。そうして、人前に出る可能性のある行動を封印します。

私はそういった方々にしばしば質問します。治ったらどうしますかと。すると様々なことがあふれ出てきます。治ったら転職して本当にやりたかった仕事をしてみたい、治ったら趣味の集まりに参加したい、中には治ったら人前で講師をしてみたいなんて人もいます。

人前に出るのを恐れるがあまりにあがり症の方々は様々な可能性を潰します。そして失敗するかもしれない現実に直面するより、やるかやらないかの間にあるやればできるかもしれない可能性の中に安住するようになります。安住の地は「やればできるかも」という合言葉さえあればずっといられるので居心地がいいのですが、そこに留まり続けると反対給付としてある感情が付与されます。後悔と劣等感です。それはじわじわとボディブローのように後からメンタル面に効いてきます。

そして、あの時ああすれば良かった、あの時やってみれば良かったと、変えられない過去の可能性の中にまで生きるようになります。それをタラレバ人生と言います。「ああだったら」、「こうだったら」、「こうでさえなければ」と。そして後悔が自尊心を蝕み続け、何かに挑戦することなくただ時間だけが経過していきます。そんな人生でいいのでしょうか。

人前を恐れる人は、本来その恐怖と同じ大きさだけのより良くありたいという生きる欲望を内に秘めています。本当は前に進みたいのです。けれど、目の前に恐怖と欲望と言う二つのものを差し出された時に、欲望に従うのではなく恐怖に従って恐怖の機嫌を取りながら生きる事を選びました。そうして、恐怖の僕（しもべ）となります。

その時、生きる欲望は感情の箱の隅っこに追いやられ、その上に恐怖や不安や後悔などがどんどんどん積もっていき、やがて見えなくなります。

では、その世界からどうやって抜け出していくのでしょうか。

隅っこに追いやられた生きる欲望は死んではいません。隅っこで窮屈そうにガタガタと身を揺らしています。雪の下で今か今かと春の到来を待つ芽のように。

転機は出会いからやって来ます。

全ての人がそうでした。人前を避け、一人悩み、ひきこもるような日々を送っていた人々が、もうこれ以上は耐えられないと言うかのようにやがて外に飛び出し、人に出会う。その時、転機が訪れます。出会いは様々です。

私は同じ悩みを持つ仲間に出会ったことで救われました。自分だけじゃなかったと知った時、それだけで肩の力が抜けました。孤立の世界から同じ悩みを持つ仲間と繋がったのです。孤立は自分自身の価値の喪失です。孤立している時、人は自分の生きている意味を見失います。自分がここにいていいのかも分からなくなります。人は繋がるだけで大きな救いになるのです。

ある方は、私の本を読んで会いに来られました。自分の気持ちをこんなにも分かってくれる人がいるんだ、そんなカウンセラーに相談してみたかったと。まあ分かるのも当然と言えば当然です。元あがり症なのですから。本を読んだことをきっかけに遠くから来られる方は意外に多く、東北や沖縄から東京に来られたり、中には海外からオンラインでご相談される方もいます。そこには、自分の悩みを理解してくれて、気持ちを分かってくれる相談者がいるということ自体に勇気づけられる感覚があるのかもしれません。

多いのは、私の講座に初めて参加する時に玄関の前でウロウロする方です。あがり症の方は集団の場を恐れます。行ったら何をされるんだろうか。何か恐ろしいことが待っているんではないかとビクビクしながら、最も苦手な場によりによってお金を払って参加しようとします。そしてドアの前でノブを握ろうとしては、フーッと深い息を付いていや待て待てと手を引っ込め、よし今度こそとドアノブを握る。中にはやっぱり怖くなってお金を払ったのにドタキャンする方も時々います。それほどまでに集団の場が怖いのです。けれど、勇気を持ってドアノブを回し、小さな、けれど大きな一歩を踏み出して部屋に入った時、出会います。同じ悩みを持つ仲間と、あがり症の専門家と。誰にも言えなくて一人小さな胸の内に抱え続けた秘密を、こんなにも遠慮なく時には笑いのネタにして話せることの解放感は相当に大きいようです。そして始めは硬かった顔が終わる頃には緩み、笑顔で帰られます。

家にいる限りは出会いません。一人で悩んでいる限りは分かり合えません。勇気をもって一歩前に踏み出し、そしてそこで出会った人と繋がることで、共同体感覚が増します。その時勇気がおつりをつけて返ってきます。自分を理解し応援してくれるあの人の顔、この人の顔、その顔が多ければ多いほど人前に立つ勇気が増すでしょう。繋がりが勇気を生み、勇気があの気の遠くなるほどの困難を乗り越える力となるのです。

だから、人に出会いましょう。そのためにも感情の箱の奥底に追いやられた生きる欲望を取り出しましょう。その声を聞きましょう。負の感情の奴隷になるのを止めましょう。負の感情はそのまま置いておけばよいのです。その代わりに生きる欲望の声に耳を澄まし、行動していきましょう。

頭の中でばかりグルグル考えて足が止まってしまうより、あれこれ深く考えずエイと行動してみる。行動を膨らます。行動を増やす。行動、行動、行動。行動の中身は正直何でもいいです。今必要なことでも、やりたいことでも。

あがり症の方の思考は後ろに引っ張るネガティブな感情を作り出すだけですが、行動によって前に進むプラスの感情が後発的に作り出されるでしょう。

克服の過程

そうして人と繋がることで、人前を恐れ続けた人々はやがて顔を上げ、前に歩み始めます。あの恐ろしかった人前にチャレンジするようになっていきます。一人では臆病で進めない人でも、繋がりが背中を押します。緊張もするでしょう、もしかしたら声も震えてしまうかもしれません。顔が赤くなってどもってしまうかもしれません。けれどそれでいいのです。

あがり症の克服とは決してあがらなくなることではありません。あがったとしてもそれに対する意味づけが変わっていくことにあります。

かつては、ほんのわずかでも声が震えたり、顔が赤くなったり、手が震えたり、どもったりしたことを絶望視しました。緊張し怖くて震えることだけでも辛いのに、そんな自分を情けないやつとか、ダメなやつとか、みっともないやつとか、輪をかけて自己否定を徹底的にやってきたのですから、いわば二重に苦しんでいたのです。しかし、あがることを許した時、それは二重ではなく人間の生理現象としての単なる一重でのしんどさに変わります。

そして、前に進む選択を自らの意志で決めた時、あがることの意味づけが変わります。それは挑戦した証となるのです。それは勇気を奮い起こした証になるのです。そうして人前に立つ機会が徐々に増えていくでしょう。

その克服の過程は人それぞれです。たった一つの成功体験であんなにも恐れていた人前が全く怖くなくなってしまう人もいます。もちろんこれは稀な例かもしれません。一般的には行ったり来たりする人が多いように思います。良くなったと思ったら失敗してがっかり落ち込んだり、そしてまた挑戦して少し良くなったりを繰り返しているうちに、本当に自分でも気づかないくらいのスピードで徐々に良くなっていきます。そして、かつての自分とは違う自分がそこにいることに気づくのです。

あるいはとことん追い詰められて良くなる人もいます。そういった人に共通のことは、開き直りです。もうあがるのはしょうがないんだ、もう無理なんだ、やるしかないんだと背水の陣のように人前に臨んだ結果、思いの他あがらなかった体験をすることがしばしばあります。

何が改善のポイントになるかも人それぞれです。ただ、良くなっていく人に共通していることは人前であがってしまうことへのあり方です。かつてはあがっている自分を封印しました。かつては見せかけでもいいからと優越コンプレックスをもとにあがっていない自分を演じました。けれど今、克服の過程を経ていく中で、あがりをなんとかしようとする姿勢が次第に減っていきます。その代わり、あることが増えていきます。それは次のような言葉です。

「まあいいか」

「仕方がない」

「しょうがない」

こういった言葉があがり症の方から出てくる時、私はすぐにピンときます。そしてこの人は良くなっていきそうだなと思います。これらの言葉に共通する意味は、「許し」あるいは「緩み」です。こういったゆるゆる系の言葉が出てきた時、その方は不可能な完璧主義を捨てて、現実的な最善主義を取り始めたのに違いありません。つまり、最善は尽くすけど無理なことはしょうがないし、結果がどうなるかは受け入れますということです。

そのあり方はあらゆる事に現れます。かつては人前で話す前には原稿を一言一句用意したものを、最低限のポイントだけ抑えた原稿を用意するようになります。かつては人前で失敗した自分を徹底的に否定しダメ出ししまくったものを、やっぱりあがっちゃったけどしょうがないかと許し、執着を手放すことができるようになります。かつては人前で話す一か月も一週間も前からずっと緊張しっぱなしだったのが、本番の日だけ緊張するようになっていきます。

つまり、無駄なエネルギーの浪費が減っていきます。その分、目の前の仕事や必要なことに力を注ぎ、現実生活が充実するようになっていくでしょう。その頃にはかつては毎日が人前で話すことやあがり症のことにほとんど全てのエネルギーを注いでいたものが、そういったことを考える割合が極端に減っていきます。それがあがり症の克服像です。あがり症を治さずしてあがることを忘れていくのです。

そしてあがり症に悩んでいた時は封印していた、本当は自分がやりたかったこと、本当は自分が挑戦したかったこと、そういったことにどんどんチャレンジしていくようになります。それは大きなものもあるかもしれませんが、小さなことでもそうです。

以下は、ある方が私のあがり症講座を受けた後しばらくして頂いた感想です。

◆セミナーを受けたきっかけ　会社内で不特定多数にプレゼンやスピーチをする機会が増えてきて避けられない状況になってきたため

◆セミナー受講後の感想　いままでは見られることを意識しすぎて緊張から逃れることしか考えていなかったが、セミナーで伝えることだけに集中することを教わり意識の変化が生まれた

◆セミナー受講後の結果（気持ちの変化）と効果　前と変わらず緊張はするが不安や恐怖心はほぼ無くなった。気持ちにゆとりが出来て生き方が楽になった。趣味（テニス）を通して仲間が増え余暇を楽しめるようになった

また、私はあがり症に関する動画をユーチューブで結構上げていますが、それをご覧になったある高校生の女の子のコメントが以下になります。

「こんばんは。よく動画見させていただいてます。佐藤さんのおかげで自分のあがり症を認めることができるようになりました。私は今高二で、あがり症になって二年半ぐらい経ちます。高一の頃までは自分のあがり症が嫌でしょうがなくて、死にたくなってしまうほどでした。ですが高二になる前、佐藤さんの動画を見て前向きに捉えようって思えるようになりました。それから佐藤さんがおっしゃっていたような考え方などをしてみると自分でもびっくりするほど症状が軽くなったり、あがり症以外の悩みも楽になりました。今まで絶対無理な存在だった教科書の音読、日直の号令も今ではだいぶ普通にできてます。やはり波はあるのでうまくいかないときもありますが前ほど気にしなくなったし、あがり症でも毎日楽しいところは楽しめるようになりました。あがり症を治すためにいろいろ調べてきましたが佐藤さんの動画が一番です。ほんとうにありがとうございます」

このお二人に共通していることは、「楽しめるようになりました」です。あがり症の方は人前で落ち着いて喋れるようになることがゴールのように考えていますが、それはゴールでもなんでもありません。単なる通過点に過ぎません。そこから先は本当の自分の人生が始まっていきます。まず、これまであがり症があるからということを理由にやらない選択をしてきたものを、徐々にやっていくようになります。それは自分の心が喜ぶことであったり、楽しいこと、成長すること、前に進むことなどです。生活が一変したという方もいらっしゃいます。

きっと会社と家だけの人生で、会社でも最低限のコミュニケーションしか取っていなかったものが、会社の同僚や上司・部下との間に仕事とは関係ない会話が発生していくようになります。人間関係に潤いが増します。また仕事そのものにも打ち込めるようになっていきます。前は来週の会議のことで不安になったり、それに備えて準備していたものが、本当に必要なことにだけ時間と力を注ぎ、人と相談したり協力したり一体感を感じるようになります。

プライベートでは外に出るようになります。英会話の教室に通う方、テニスサークルに行く方、学びの場に参加する方、マラソンに出る方、自分が講座を開催するようになる方など、人それぞれの価値観に沿って様々なことをしていきます。あるいは生活に特に変わりなくても淡々と日々を落ち着いて仕事や子育てに専念できるようになる方もいるでしょう。

いずれにせよこの辺まで来ると、周りからも明らかにその人が変わった様子が見て取れます。表情が明るくなります。笑顔が増えたり、話すテンションが上がったり、活動的になったり、あるいは穏やかで親しみやすくなったり。そんな日々を過ごしていく中で、いつしか人前に立つことで感じていたあの恐怖感や不安感がどこかに行くようになります。日々が忙しすぎて、そんなどうでもいいことに悩んでいる暇がなくなっていきます。もう一度言います。そんなどうでもいいことに。

そして、別の悩みが増えていきます。それは対人関係のことなのかもしれないし、自分の進路や仕事のことなのかもしれない、あるいは子育てのことなのかもしれない。

ただ、違うのは、それが現実生活の悩みであることです。幻想の世界の中で幻想の悩みにとらわれ続けていたあがり症の方が、そこから抜け出て現実世界に飛び出した時、必然的に現実世界の悩みごとが増えていきます。そして、前に進んでいく以上、失敗も増えていくかもしれません。うまくいくかもしれない可能性の中に生きている限りは失敗しなくて済みますが、前に進む人に必然的に起こるという意味での失敗ということです。言い方を変えれば試行錯誤とも言えるかもしれません。あれやってみたらうまくいかなかったから、これやってみるといったような。

だから、あがり症が治ると決して悩まなくなるということは決してありません。人として悩みは尽きないでしょう。それはより良く生きたいからです。そしてそこには喜怒哀楽が伴います。かつては喜怒哀楽をベールに包んだり、隠したり、加工したり、生の感情を感じていませんでした。それが、地に足のついた生の感情、生の悩みが生じていきます。

人前に立った時は、緊張したら緊張するだけ、顔が赤くなったならまあ自分は赤面症だから仕方がないかなと思ったり、どもったら恥ずかしいけど自分はどもりだしといったように、事実をそのままに事実として受け止めるようになっていきます。

それがあがり症の克服像です。全てはあなたの幻想の世界の中で、あなたの歪んだメガネでこの現実世界を捉えていたことにあります。人前であがることをあってはならないこと、それは恥ずべきこと、そんな自分はおかしいという幻想の世界での真実の中に生きていました。そこには、人生で大切なことが抜け落ちています。

『日本でいちばん大切にしたい会社』（あさ出版　坂本光司著）で紹介されている日本理化学工業という会社があります。この会社は障害者雇用の先駆けとして有名な会社で、そこでの障害者雇用率は70％を超える驚異的な雇用率を達成しています。ちなみに国が決めた基準では、企業に義務付けられた障害者雇用率は2％台が現状です。この日本理化学工業ではあるエピソードが有名です。それは、初めて雇った知的障害者の方々のあまりの熱心な働きぶりに感銘を受けた当時専務の大山泰弘さんが、そのことをある禅寺の住職に話した時、その住職は次のように言いました。

「そんなことは当たり前でしょう。幸福とは、①人に愛されること、②人にほめられること、③人の役に立つこと、④人に必要とされることです。そのうちの②人にほめられること、③人の役に立つこと、そして④人に必要とされることは、施設では得られないでしょう。この三つの幸福は、働

くことによって得られるのです」(『日本でいちばん大切にしたい会社』p49)

これが幸せの絶対条件かというと、幸せの定義や条件は諸説様々にあるでしょうから、完全にその通りだというわけではないかもしれません。ただ、ここには、人前で話すことに苦手意識を持つあがり症の方たちに欠けていた、もしくは悩みがひどいほど希薄だったことが述べられています。それは他者の役に立つこと、他者のために貢献すること、他者とつながること、それら全てを一言で言うなら「自分には価値がある」ということです。

あがり症の方は、その克服の過程において人間の本質を取り戻していきます。誰かの役に立つことや誰かに貢献することの喜びを思い出し、与えられることよりも与えることの恵みの大きさを実感していきます。人は与えられることを求めれば求めるほど与えられず、与えることで与えられるのです。

これは何も大それたことを言っているわけではありません。仕事を一生懸命やることは必ずや誰かの役に立つことでしょう。そうすれば人に必要とされることでしょう。あなたがいてくれたおかげで、あなたがいないと困ると。その言葉にどれだけ勇気づけられることでしょう。そしてその時、所属感を得ます。私はこの場で役に立てている、私はここにいていいんだと。すると周りが敵ばかりでなく味方が増えていきます。極端な話、周りが味方ばかりになったら人前であがることは問題ではなくなるでしょう。あがっても否定されたり排除されないのですから。だから、あがり症のことばかりに注いでいたエネルギーを仕事に振り向けていくことができれば、結果として好循環が始まっていくに違いありません。

そして、人に役立ち、人に貢献していく中で、この苦しみさえなければと自分の方に向いていたベクトルがクルッと向きを変え、他者へ向いて行きます。その時、自分にばかりエネルギーを注いでいたとらわれの世界から必然的に解放されていくでしょう。

これからの物語

ここまで、人前で話すことが苦手なあがり症の方々がどのような世界に生きているのか、アドラー心理学をもとに解説してきました。そして、ではどうすればいいかについても解説してきました。最初にお話ししましたように、私はこの本では人前でうまく話すための、あるいは落ち着いて話すための話し方や滑舌等のテクニックについては語っていません。症状を抑えるための対症療法についてもです。人前で話すのが苦手な人のための本なのにも関わらずです。けれど、ここまでお読みになられた方はもうお分かりでしょう。そういったテクニックや対症療法は補完的な意味ならまだしもそれをメインにするのは本質ではないということを。陰と陽の陰の部分、すなわち、緊張や不安や恐怖や震えといったような症状に対してアプローチすることは、ただ炎上に繋がってしまうだけだからです。

その点で、「けれど症状を何とか抑えたいんです。本当にそんなやり方でうまくいくんですか？」と、疑問に思うあがり症の方がもしいるとしたら私はこう返事をするでしょう。「今まであがらないようにとやってきたことでうまくいったことはありますか？」と。もし、うまくいったことがありますと粘られたらこう答えるでしょう。「それで今、あがり症の悩みはなくなりましたか？」と。

仮にテクニックや対症療法で治ったという人がいたとして、その状況をつぶさに聞いていくと何らかの違う要因が出てきたりします。あまりに忙しすぎてそんなこと忘れていたとか、その頃人間関係が凄く良かったんですなどといったような。

あるいは、テクニックや対症療法で良くなったという方は、一年後二年後に再発したり、また別の生きにくさを抱えてしまうことがしばしばあります。人前で話すのは比較的大丈夫になったんですけど今度は人前で字を書く時に手が震えるようになってしまってとか、シーンとしたところでお腹が鳴るのが止まらなくて恥ずかしくて仕方がありませんとか、今パニック障害で困っててといったような。私の講座にはそういった方々がしばしば来られます。

あがり症の方々は、不可能を可能にしようとして神からしっぺ返しを食らっているようなものです。陰と陽の陰はほっといて陽を膨らましていくことが、あがり症を治さずしてあがり症を治すコツなのです。陽とは、自分のやりたいことであり、楽しいことであり、感謝であり、他者への貢献であり、日常の生活であり、仲間を増やすことであり、そしてそういったプラス面だけでなく、必要なことをやることでもいいです。とにかく行動です。人前で話すこととは全く関係ないことをやっていたとしてもです。

本質は生き方の病であるということです。困難を前にためらい、困難から回避し、けれど見た目ではそんな様子は微塵も見せず、さももっともらしい理由で人生の課題から逃れます。そして人前を伴う人生のメインステージに上がることを恐れ、人生の脇舞台で必死に自分の悩みと闘い続けます。人生の脇舞台は、まるで学校の保健室のように病気やケガで体調が悪いなどの何らかの理由のある人しかそこにはいられませんから、時に、変な話ですがそこでは病気であり続けなければなりません。そこで体調が万全になってしまったら失敗するかもしれない人生の教室に戻らなければならないからです。だから、病気を治したいのに病気を必要とする。これが人生の嘘です。人は時に、自分をも欺いてまで困難から回避するのです。

この辺の話になると、よく分からなくなってくる人が多くなりますが、そのまま進めていきます。

かといって人生の脇舞台では、メインステージに上がることで必然的に生じる失敗からは逃れることができますが、かけらも居心地よくはありません。あがり症の神様は結構シビアです。人生のメインステージを避けて脇舞台に生きている人には容赦なく苦しみを与えます。脇舞台にいる限り、時を変え、場所を変え、状況を変え、何度も何度も同じテーマの人生の課題が現れて自分に突きつけます。

私は人生の脇舞台で長年暮らしすぎて、ほとほと参ってしまいました。一七才から始まった私のあがり症は、約二〇年にわたる人生の脇舞台収容所の生活の中で、入所前の自信満々に生きてきた姿からは想像もつかないほどの廃人状態に一時は追い込まれました。

人生の課題から逃れることは不可能です。あなたはもうそれを知っているでしょう。この世界に逃げ場はないということを。そして一人でそれに立ち向かうには人間はあまりに弱いです。だから、そのためには他者と繋がること、他者と仲間になること。そして仲間になるためには協力と貢献が不可欠であることをお話してきました。その行き着くところが、アドラー心理学の目的地とも言える共同体感覚です。共同体感覚があれば人は勇気を持てます。勇気を持って人生の課題にチャレンジできます。アドラーは言います。

「私の努力のすべては、患者の共同体感覚を増すことに向けられる。私は病気の真の理由は協力しないことであることを知っている。そして、私は患者にもそのことをわかってほしい。仲間の人間に対等で協力的な立場で結びつくことができればすぐに治癒する」（『人生の意味の心理学（下）』p136）

結論を言います。共同体感覚を増すことができるかどうか、そしてそれによって勇気を持てるかどうか、それが人前で話すことが苦手な人が人前で落ち着いて話すことができるようになるための、最も大切なことです。

さあ、人生の脇舞台を抜け出てメインステージへ行きましょう。人前を伴う人生の課題に取り組みましょう。そして共同体感覚を増すために人と繋がりましょう。もしかしたら例の言葉が頭の中に浮かんでいるかもしれません。イエス（はい）、バット（でも）と。頭で分かったけれど、心が、体が、どうしてもと。実はもしかしたらここがあがり症の方にとって一番の難関かもしれません。気持ちは理解できます。

本当はメインステージの方がはるかに安全ではるかに生きやすいのですが、そっちは帝国ホテルのスイートルームのように何か落ち着かなくて、逆に生き辛いけどいつもの慣れた汗臭いせんべい布団の方がホッとするからです。逆に言えば、それがあなたがあがり症で悩み続けることを選んだ理由です。人前に立とうとせずに脇舞台の生き辛さを選んだ理由です。

けれど、それでいいのでしょうか。人生の課題は先送りすればするほど複雑さと困難さを増し、乗り越えることが難しくなっていきます。

今です。今がその時です。次はありません。さあ、一歩踏み出しましょう。幸せは前に進んだ人のみが得られます。行動した人のみが何かをつかむことができます。そして、あなたのこれまでの人生がたとえいかなるものであったとしても、これからの未来はあなたが決めることができます。あなたの人生は他の誰のものでもない、あなたのものです。あなたがあなたの人生を創るのです。あなたが本当のあなたになるのです。

人はいかなる状況においても自らのあり方を決めることができます。たとえ絶望のどん底にいたとしても、勇気を振り絞って困難に立ち向かうのか、あるいは後悔の味がする毒リンゴにつられて目の前の安息を選ぶのか、全てはあなたが決めるのです。

最後にこの言葉を贈ります。
ハリウッドの今は亡きアクション俳優、ブルース・リーは言いました。

「考えるな！　感じろ！」

私はこう言いたい。

「考えるな！　やっちまえ！」

あとがき

いかがだったでしょうか。人前で話すことが苦手な方は、その悩みが強ければ強いほど毎日がそのことで覆われていきます。そして、人前を恐れるあまりに、自分を隠し、自分をなくします。本当の自分はどんな自分だったんだろうと、自分で自分のことを分からなくなっていきます。そして、一人家にこもり、誰にも言えず悩み続けます。

アドラーは最も重要なことは共同体感覚と言いました。共同体感覚と勇気はアドラー心理学の両輪です。共同体感覚があれば勇気を持てます。勇気があれば人とつながって共同体感覚を持つことができます。

あがり症の方が人前で自信を持って話すために、あるいは人前で落ち着いて話すために、あがらないためのテクニックはいりません。他者を敵と思うのではなく他者を味方だと思う、他者を仲間だと思う、その共同体感覚を身につけ、そして共同体感覚を持って所属することができればもう恐れる必要はありません。

そしてそのためには、自分には価値があることを確信する必要があります。だから、人と協力し、人のために役立ち、そうしていくことで自分には価値があることを実感できるようになります。その時あなたは、自分史上最高の勇気を持てるようになるに違いありません。その時あなたは、かつて恐れていた人前で話す場面を、たとえあがったとしてもそれほど恐怖と思えなくなって行きます。


あがり症は治さなくていいです。あがり症は本当の自分を生きているうちに、いつか忘れていきます。あがり症の克服とは治すことにありません。忘れることにあります。あなたがあなたの人生を生きている時、あがりは近寄ってこれません。

だから、あなたがもっともっと今より輝けばいいのです。もっともっと楽しくなればいいのです。もっともっと幸せになればいいのです。幸せになるためには受け身でいる限りはそう簡単にはなりません。受け身で幸せになれるのは赤ちゃんだけなのかもしれません。

しかし、家庭の中の絶対の安心安全から子供はやがて社会に出ます。学校へ、会社へと。その時人生の課題があなたを待っています。あなたが成長するために。そこで、あなたは勇気が試されます。困難を克服する勇気、そして人と繋がる勇気が。けれど、そこで勇気を持てず前に進むことを諦めた時、あがり症で人前から逃げる物語が始まっていきます。

けれど、それはあなたという人生の物語で言うならば、ほんのわずかな一章、もしかしたら一節に過ぎないのかもしれません。人生の物語には起承転結が必要です。ずっと幸せな人生は悪くはないですが、味気ないでしょう。起承転結の物語を感動の物語にするために、そして最高の物語にするためには、もしかしたら一度人生で苦渋を味わう必要があるのかもしれません。

そして、人生でずっと最高の幸せであり続けられないように、人生でずっとどん底でもあり続けることはないのです。人はあらゆる状況でより良く生きようとします。たとえ今がどん底であったとしても、そこから人は、下から上へ、マイナスからプラスへ、敗北から勝利へと動き始めます。あなたが今、とても辛い状況だったとしても、いつかそこから抜け出し、栄光をつかもうとします。フローベールというフランスの小説家が言っています。

「人生で最も輝かしい時は、いわゆる栄光の時ではなく、落胆や絶望の中で人生への挑戦と未来に成し遂げる展望が湧き上がるのを感じた時だ」

人生に意味のないことは何一つありません。あなたが悩んだこと、あなたが苦しかったこと、あなたが辛かったこと、それは絶望から幸せへと繋がるストーリーの中の一つの出来事なのです。あらゆる人は今よりより良くなることができるはずです。あらゆる人は今より幸せになることができるはずです。もう治らないのではないか、もう自分は良くなることはないのではないか、そう思ってしまうこともあるかもしれません。けれど、どうか諦めないで頂きたいのです。

ただ一つ、どうしても幸せになることができない条件があります。それは、孤立です。孤独ではなく孤立。周りに誰かがいるかもしれないけれども、自分と周りとの間には見えない壁がある。まるで断崖絶壁に囲まれて一人立っているかのような心境です。その時、人と繋がっていません。人と繋がっている感覚がありません。群れからはぐれた動物は生きてはいけないのです。

だから、何度でも何度でも言います。あがり症を治したい方、それだけじゃない、あらゆる悩み、あらゆる生き辛さに今悩んでいる方、症状をどうのこうのの話ではないのです。緊張が、どもりが、うつが、パニック発作が、幻聴が、そういった症状は氷山で言うならば、海から上の表層の部分です。海から下の部分の方がはるかに大きいのです。

本質は人との繋がりにこそあります。どうか、ほんのささやかでもいい、人と繋がるために、他者と仲間になるために、ささやかな、小さな一歩を勇気を持って踏み出して頂ければと思います。あなたのより良い未来のために。

この本を書くきっかけとなったアルテの市村社長に深く感謝申し上げます。また、ヒューマン・ギルドの岩井俊憲先生にはアドラー心理学を一から学ばさせて頂きました。そして、これまで私の講座やカウンセリングを受けに来られた数多くの人前が苦手なあがり症の方々には、私の方も多く学ばされました。そしてそういった方が良くなっていくことが、私を勇気づけてくれました。そして、私のことを応援してくれるアドラー心理学を共に学んだ仲間、友達、家族に、心から感謝申し上げます。

二〇二〇年（令和二年一月）

佐藤　健陽

（参考文献）
『アドラーの生涯』エドワード・ホフマン、岸見一郎訳、金子書房
『無意識の発見』アンリ・エレンベルガー、木村敏・中井久夫監訳、弘文堂
『人生の意味の心理学』アルフレッド・アドラー、岸見一郎訳、アルテ
『人間知の心理学』アルフレッド・アドラー、岸見一郎訳、アルテ

『個人心理学講義』アルフレッド・アドラー、岸見一郎訳、アルテ
『人はなぜ神経症になるのか』アルフレッド・アドラー、岸見一郎訳、アルテ
『勇気はいかに回復されるのか』アルフレッド・アドラー、岸見一郎訳・注釈、アルテ
『アドラー心理学の基礎』R・ドライカース、宮野栄訳、野田俊作監訳、一光社
『どうすれば幸福になれるか（上）』W・B・ウルフ、前田啓子訳、岩井俊憲監訳、一光社
『どうすれば幸福になれるか（下）』W・B・ウルフ、仁保真佐子訳、岩井俊憲監訳、一光社
『日本でいちばん大切にしたい会社』坂本光司、あさ出版
『あがり症は治さなくていい』佐藤健陽、旬報社

◆著者

佐藤　健陽（さとう　たけはる）

1972年、秋田県生まれ。福島大学経済学部卒業。佐藤たけはるカウンセリングオフィス代表。あがり症克服総合情報サイト主宰。シニア・アドラー・カウンセラー、社会福祉士、精神保健福祉士。麻雀店勤務、障害者就労支援の仕事を経て、2017年カウンセリングオフィス開業。アドラー心理学ライフスタイル診断をライフワークとしている。東京社会福祉士会高齢者安心電話相談を務めている。佐藤たけはるカウンセリングオフィス https://www.takeharukokoro.jp/ あがり症克服総合情報サイト https:// takeharukokoro.com/ 著書に『あがり症は治さなくていい――大切なことはアドラーと森田正馬に教えてもらった』（旬報社）。

人前で話すのに自信がつくアドラー心理学
――どうすればあがり症を克服できるのか

2020年 3月10日　第1刷発行
2020年11月15日　第2刷発行

著　者　佐藤　健陽
発行者　市村　敏明
発　行　株式会社　アルテ
〒170-0013　東京都豊島区東池袋2-62-8
BIGオフィスプラザ池袋11F
TEL.03(6868)6812　FAX.03(6730)1379
http://www.arte-book.com
発　売　株式会社　星雲社
（共同出版社・流通責任出版社）
〒112-0005　東京都文京区水道1-3-30
TEL.03(3868)3275　FAX.03(3868)6588
装　丁　Malpu Design（清水良洋＋高橋奈々）
印刷製本　シナノ書籍印刷株式会社

ISBN978-4-434-27019-2 C0011